PASSION

DANS DIX ANS

Série PASSION

Dans la même collection

HELEN MITTERMEYER

DANS DIX ANS

PRESSES DE LA CITÉ
PARIS

Titre original :

FROZEN IDOL

Première édition publiée par Bantam Books, Inc., New York, dans la collection Loveswept ®. Loveswept est une marque déposée de Bantam Books.

Traduction française de Gilles Adrien

1

C'ÉTAIT un petit café retiré dans le vieux Nice, fréquenté seulement par les gens du quartier. On n'y trouvait pas de touristes et c'est ce qui avait attiré Dolph Wakefield.

Tout avait marché de travers pour lui ce jour-là, de bout en bout. Le vin et les parties de cartes avec des pêcheurs du coin avaient adouci son amertume. Personne ici ne savait qu'il était l'acteur du film qu'on tournait dans les environs.

Lorsqu'il quitta le café en compagnie de ses nouveaux amis, ce fut bien après la fermeture et d'un pas incertain, sous les invectives du tenancier du bar. Ses compagnons de boisson partirent de leur côté. Lui-même tituba jusqu'à sa voiture.

L'esprit embrumé, Dolph se mit au volant de la Jaguar qu'il avait louée à prix modique. Elle consommait autant d'essence qu'une raffinerie de pétrole, mais était pourvue d'une stéréo et d'un moteur puissant.

Il sortit de la ville à vive allure pour monter vers les collines de verdure où était accrochée, comme un nid, la petite villa qu'il habitait. Attaquer les lacets de la route de côte sans même ralentir lui procurait un plaisir qui ajoutait à son ivresse.

La vie lui parut belle en cet instant et les contrariétés de la journée étaient presque oubliées. Il valait mieux ne retenir que les côtés positifs. Il devenait connu. On avait fini par remarquer son travail et ses rôles étaient de plus en plus choisis. Quelqu'un payait son séjour dans cette Europe qu'il avait toujours adorée. Il avait poursuivi ses études en France et en Allemagne quand son père y était ambassadeur. De ce fait, il parlait plusieurs langues et se sentait partout chez lui. Que demander de plus?

Écrasant l'accélérateur, Dolph s'engageait dans un virage particulièrement raide lorsqu'il entendit un gémissement. Il crut d'abord à un jeu de son imagination. Mais la chose se reproduisant, il stoppa net sa voiture au bord de la route et se tourna vers l'ombre de la banquette arrière.

Il ne put en croire ses yeux : il transportait un passager clandestin!

— Pas la peine de faire cette tête, fit une voix. Après tout c'est moi qui suis ballottée dans tous les sens avec votre conduite imbécile!

— Conduite imbécile? répéta Dolph, interdit, tout en dévisageant la fille aux cheveux auburn et aux yeux étincelants qui avait surgi devant lui. Que diable faites-vous dans ma voiture?

— Je me cache, répondit la jeune femme. Je suis poursuivie par le fils de ma gardienne. Il prétend vouloir récupérer l'argent que je dois à sa mère, mais à mon avis il veut plus que ça.

— Vous n'avez pas de travail?

— J'en cherche. J'essaie de m'introduire sur le plateau d'un film qui se tourne dans les environs. Vous voyez ce que je veux dire?

8

— Je crois bien, rétorqua Dolph en grimaçant sous l'étau de la migraine qui lui broyait le crâne. Voulez-vous monter devant? Et faut-il que je vous dépose quelque part?

Il s'étonna d'être aussi courtois alors qu'il aurait dû s'indigner d'une telle intrusion. Lorsque la jeune femme vint se placer à l'avant, il remarqua ses longues jambes dont le galbe était rehaussé par le mini short de coton qu'elle portait. Dolph jura intérieurement. Ce n'était qu'une enfant.

— N'importe où fera l'affaire pourvu que Pierre ne me trouve pas, répondit-elle. Pas la peine de me regarder comme ça. Je rembourserai ma gardienne dès que j'aurai trouvé l'argent, mais je ne veux en aucun cas me battre avec son fils.

— Comment êtes-vous venue en France si vous n'avez pas d'argent? s'enquit Dolph d'une voix fatiguée.

Il n'avait que faire de sa réponse. Son mal de tête empirait.

— Mon père m'a laissé un petit pécule à sa mort. Hé, allez-y doucement, je suis trop jeune pour mourir, ajouta la jeune fille tandis qu'il lançait de nouveau la Jaguar dans la côte.

— Comment vous appelez-vous, mademoiselle?

— Belinda Bronsky.

— Belinda? Vous pouviez difficilement faire plus original qu'un prénom pareil. On le dirait sorti d'un roman de nos grands-mères.

— Vraiment? s'offusqua l'intéressée. Désolée pour vous, mais c'est mon véritable prénom.

— Vos parents vous détestaient tant que ça?

— Inutile d'être aussi sarcastique, repartit Belinda. C'est vous qui avez le mauvais rôle. Vous empestez le vin et vous aurez demain une gueule de bois qui ne vous lâchera pas de toute la journée. Ça vous apprendra à vous moquer de mon prénom.

— Mais je ne m'en moque pas. Il est assez ridicule comme ça.

— C'est vraiment trop gentil à vous, conclut-elle d'une voix cinglante en se tournant résolument vers la vitre.

Un silence pesant s'installa entre eux. Trois kilomètres plus haut, Dolph braqua entre deux piliers gardant l'entrée d'une petite allée qui serpentait dans la pinède et dans laquelle il lança sa voiture sans réduire l'allure. Une fois en haut, il freina des quatre roues dans une gerbe de graviers.

— Nous voici arrivés, dit-il. Si vous êtes capable d'être assez discrète pour ne pas me déranger, vous pouvez utiliser le canapé du salon. Sinon, débrouillez-vous toute seule.

— C'est très généreux de votre part, ironisa Belinda.

— Écoutez, je..., commença Dolph à bout de nerfs.

— D'accord, d'accord, coupa-t-elle aussitôt. Je ne dis plus rien.

Ils sortirent de la voiture. La petite villa blanche nimbée de lune était l'endroit le plus accueillant que la jeune femme eût connu depuis plusieurs mois. Elle avait redouté plus d'une fois la solitude. Au moins, cet inconnu était américain. Il n'avait pas l'air d'un assassin et était plutôt joli garçon. De surcroît, elle n'aurait pas à résister à ses avances car il avait tout d'un ivrogne convaincu. Belinda se mit à rire.

— Vous aimez le poisson le matin? demanda-t-elle. Je pourrais en rapporter du marché pour le petit déjeuner.

– Surtout pas, proféra Dolph en se passant la main sur le front. J'ai un jour de congé demain et je compte bien dormir jusqu'au soir. Si vous restez, ne faites surtout pas de bruit.

Sans se soucier d'elle davantage, il pénétra dans la maison.

– Puis-je au moins avoir des draps? s'enquit Belinda qui ne l'avait pas lâché d'une semelle.

– Hein? Ah, oui. Dans le rangement du hall, fit Dolph en agitant la main dans une direction évasive.

– Vous voulez bien me montrer? insista la jeune fille.

– Je vous jetterais bien plutôt à la mer, maugréa Dolph.

Il descendit néanmoins jusqu'au hall avec elle. Sa migraine redoublait, lui martelant le crâne.

– Vous devriez cesser de boire, vous savez, suggéra Belinda. Vous êtes peut-être allergique. Vous avez l'air vraiment malade.

– Je conduis mal. J'ai l'air malade. Autre chose que vous voudriez critiquer? lança-t-il en ouvrant rageusement le tiroir où s'empilaient les draps pliés.

– C'était juste un conseil. Vous pourriez voir un psychiatre pour remettre un peu d'ordre dans votre tête.

– Pas la peine. Je n'ai plus de tête. Alors bonne nuit et surtout ne dites plus rien, dit-il en revenant vers l'escalier.

– Très bien, si c'est réellement ce que vous désirez.

– Bon sang, mais taisez-vous! supplia-t-il à mi-marches.

– Mufle! lui lança Belinda juste avant qu'il ne disparaisse.

11

Dolph n'y prêta aucune attention. Il gagna sa chambre, laissa tomber ses habits à même le sol et, s'écroulant face en avant sur son lit, sombra immédiatement dans le sommeil.

Le matin, il fut réveillé par le soleil sur son visage et par les hurlements du moteur de sa Jaguar.

— Mais... que se passe-t-il? grogna-t-il, hébété, en s'arrachant du lit.

Un coup d'œil à sa montre lui apprit qu'il n'était que huit heures du matin. Qui faisait tout ce vacarme à cette heure-ci? Ulcéré, il tituba jusqu'à la fenêtre grande ouverte sur le jardin.

— Qu'est-ce que ça veut dire? hurla-t-il.

Devant la maison, Belinda disparaissait à demi sous le capot ouvert de sa voiture.

— Vous ne savez vraiment rien faire d'autre que crier? dit-elle en levant le nez vers lui avant de désigner le moteur d'un air critique. J'ai sorti et nettoyé vos bougies. Maintenant je teste la carburation. Vous ne savez visiblement pas entretenir un moteur, ajouta la jeune fille avec mépris.

Jurant et se tenant la tête à deux mains, Dolph regagna son lit pour se rendormir, mais le bruit l'en chassa de nouveau. Après avoir passé une bonne demi-heure sous la douche, il décida d'aller se baigner. Ensuite seulement il étranglerait cette fille au prénom ridicule. A tout le moins, cela soulagerait son mal de crâne. Dans le hall, il tomba sur Lorette, la ménagère.

— Monsieur Duff, lui dit celle-ci dans son anglais mâtiné d'accent provençal, je suis navrée de tout ce bruit. J'ai essayé de le faire comprendre à cette jeune femme, mais elle m'a dit que vous n'y verriez pas d'inconvénients.

— J'en vois beaucoup au contraire. Mais ce n'est

pas votre faute, Lorette. Je pars me baigner avec la Rover. Ne le dites surtout pas à cette petite peste, recommanda Dolph en sortant par la porte de derrière donnant sur les garages.

— Bonjour, fit Belinda dès qu'il eut mis le pied dehors. Vous allez vous baigner? Je vous accompagne. J'ai fini la Jaguar.

Dolph la considéra avec effarement.

— Vous êtes couverte de cambouis de la tête aux pieds.

— Bien sûr. C'est la Jaguar. Une baignade nettoiera tout ça.

— Mais vous n'avez même pas de maillot.

— Et alors? Je me baigne toute nue d'habitude. Mais si vous allez sur une plage de standing, je garderai mon short.

La pensée de son corps élancé et superbe contre la mer étincelante lui donna le vertige.

— Vous risquez de tacher les sièges de cambouis, observa-t-il d'un air distrait. La Rover n'est pas à moi.

— Je vais m'asseoir sur un bout de tissu, dit-elle en disparaissant dans le garage pour en ressortir aussitôt munie d'une large couverture carrée. Je me placerai là-dessus. Allons-y.

Sidéré par Belinda et par sa capacité à le prendre totalement de court, Dolph restait planté là à la regarder.

— Vous voulez que je conduise? proposa-t-elle.

— Non! réagit-il, sortant de son rêve pour monter au volant.

Il démarra dans un miaulement de pneus, la voiture faisant un brusque bond en avant qui relança son mal de tête.

— Vous ne conduisez pas mieux celle-ci que la Jaguar, observa une voix neutre.

Dolph serra les dents sans répondre. Il lui semblait que sa tête avait doublé de volume, résonnant de tous les tams-tams de la jungle. Il descendit l'allée jusqu'à la route et prit un raccourci vers la marina.

– Génial! s'écria Belinda tandis qu'ils dévalaient à toute allure ce qui n'était guère plus qu'un chemin de bergers. J'adore le cross!

Dolph jeta un coup d'œil amusé à sa passagère.

– Vous êtes la fille la plus piquée que j'ai jamais rencontrée, avoua-t-il sans pouvoir retenir un rire.

– Comment pouvez-vous dire une chose pareille? protesta celle-ci. Je n'ai rien fait de spécialement excentrique avec vous.

– Ah bon? Et se cacher dans la voiture d'un inconnu à trois heures du matin, comment cela s'appelle-t-il?

– D'abord, il s'agissait d'un inconnu complètement éméché, corrigea Belinda. Mais vous avez raison. J'appellerais ça un mélange de désespoir et de folie.

Elle constatait qu'il avait l'esprit assez clair pour se rappeler tous les détails de la veille. Pourtant, il n'avait pas profité de la situation. Il semblait différent des autres hommes.

– Je vous remercie de l'admettre, repartit Dolph d'un ton sarcastique en garant la Rover près d'un hangar à bateaux.

La seule vue de la mer le réconforta. Elle était fraîche et agitée de petites vagues couronnées d'écume qui venaient mourir sur la plage. Un temps idéal pour la planche à voile.

– Soyez prudente en vous baignant, indiqua-t-il. Il peut y avoir des courants de fond. Je vais sortir en planche à voile.

14

– Moi aussi, décida la jeune femme.

– Ce sont des planches grand format. Vous vous en sortirez?

– Bien sûr. Et vous, vous y arriverez?

Dolph lui jeta un regard contrarié par-dessus la voiture, puis fit demi-tour vers le hangar dont il dégagea deux planches.

– Bonne chance, dit-il en prenant la sienne sous le bras.

Belinda s'interposa entre lui et la plage.

– Vous ne m'avez toujours pas dit votre nom ni ce que vous faisiez, remarqua-t-elle. Il serait temps, non? Vous êtes tenancier de bar ou alors groom dans l'un des grands hôtels?

– Je suis acteur. Je m'appelle Dolph Wakefield.

– Tiens donc, fit la jeune femme en fronçant les sourcils. Wakefield. J'ai entendu parler de vous. Mais vous n'êtes pas vraiment une vedette... ou alors de série B.

– Et vous, vous avez la langue trop bien pendue, répliqua Dolph en l'écartant du bras pour se diriger vers la plage.

Il pénétra avec un frisson de plaisir dans l'eau rafraîchie par la nuit, et en quelques instants fut à portée de bonne brise. Se mettant debout sur la planche, il amena sa voile et jeta un regard derrière lui. Il eut à peine le temps d'apercevoir Belinda sur la plage, avec sa grande planche sur l'épaule, qu'un coup de vent tendait déjà sa propre toile, l'emmenant filer sur l'écume.

Criant de plaisir, Dolph lutta pour trouver la position optimale par rapport au vent. Sa vitesse augmenta.

À l'instant où il s'arc-boutait en arrière pour virer, il fut surpris de saisir Belinda dans son champ de vision. Comment avait-elle pu faire aussi vite avec une planche de telles dimensions? Elle était arrivée dans son dos et maintenant le vent emportait Dolph droit sur elle. Forçant au maximum pour infléchir sa trajectoire, il fut déséquilibré par une lame de travers et perdit le contrôle de sa planche qui se cabra vers le ciel tandis que lui-même s'affalait dans la mer.

Refaisant surface, il recracha l'eau salée qui lui brûlait la gorge et chercha des yeux sa planche à voile.

— Je la tiens, fit la voix rieuse de Belinda. Vous venez de faire un sacré numéro pour un acteur.

— Merci, répondit Dolph d'une voix sèche.

Il aurait voulu la tuer... et l'embrasser en même temps.

— Réveillez-vous, Tarzan, reprit la jeune fille. On a tous l'air ridicule un jour ou l'autre. Mais on n'en meurt pas et...

Elle s'interrompit net en lisant dans son regard ce qu'il se préparait à faire. Elle tenta de le calmer d'une voix inquiète.

— Attendez. Je plaisantais. Hé! Non, n'approchez pas!

Tandis qu'il progressait vers elle, une peur panique sembla la submerger. Elle se souvint de la fois où son demi-frère l'avait plaquée sous l'eau. L'ancienne image la fouetta d'angoisse.

Dolph plongea sous sa planche au moment où elle tentait de redresser sa voile afin de fuir. Il surgit subitement de l'onde de l'autre côté; lui agrippant la cheville, il la projeta à son tour en pleine mer, dans une gerbe d'écume.

Elle se débattit un instant puis perdit le contrôle de ses nerfs et se mit à battre l'eau des bras. Il la maintenait sous la surface. Elle allait se noyer!

Le plaisir de Dolph à tenir enfin sous son emprise la mégère de la nuit précédente s'évanouit en lisant sur ses traits une véritable terreur au lieu du rire qu'il attendait. Elle s'étouffait réellement, sans plus retenir sa respiration. Jaillissant à la surface, il la maintint dans ses bras en l'invitant à reprendre son souffle.

— Belinda, regardez-moi. Je vous demande pardon. Je ne voulais pas vous faire peur. C'était pour rire. Regardez-moi.

Il la tenait contre lui mais sans la serrer, sincèrement ému.

— Laissez-moi. Je dois partir, dit-elle dans un sanglot.

— Non. Ce n'est pas possible. Vous êtes toute tremblante.

Attrapant une des planches flottant à portée de lui, il l'aida doucement à monter sur l'esquif et partit vers l'autre planche à la nage. Belinda en profita pour se relever, amener sa voile et saisir le vent pour filer vers la rive. Frappé de la panique qu'il avait involontairement provoqué et furieux contre lui-même, Dolph partit à sa poursuite sur l'autre planche.

Ils atteignirent la plage presque au même instant et il courut derrière elle jusqu'à ce qu'elle fît soudain volte-face, les poings serrés, prête à l'affronter.

— Dites-moi ce qui s'est passé, murmura-t-il. Parlez-moi.

— Je m'en vais, fit-elle d'une voix dure. Ne m'approchez pas.

— Si. Et vous ne partirez pas, répliqua Dolph.

Il s'avança vers elle. Indécise, elle cherchait du regard une issue possible alentour, comme un petit animal traqué.

— Restez. Je n'ai pas voulu vous faire du mal. Il n'y a aucune raison d'avoir peur de moi, dit-il encore.

De la voir devant lui aussi fragile et éperdue, les yeux noyés de larmes, il éprouva une compassion jusqu'ici inconnue.

— Tout va bien maintenant, chuchota-t-il d'une voix tendre en la prenant dans ses bras. Personne ne vous veut du mal.

La jeune fille ne retenait plus ses sanglots. S'abandonnant soudain, elle se blottit contre lui. Sa raison lui commandait de fuir mais son corps tout entier refusait d'obéir.

— Ce fut stupide de ma part, reprit Dolph en la serrant un peu plus fort, et je regrette infiniment. Pourquoi avez-vous eu si peur ? Confiez-vous à moi.

Belinda évita son regard. Elle n'allait pas lui parler de son demi-frère Hector... ni de sa famille... ni lui avouer sa solitude. C'était chez elle comme une impuissance à répondre, à parler.

— Belinda... si je vous jure de ne pas vous importuner... voudrez-vous rester avec moi ? Je veux juste être votre ami.

Lui caressant doucement les épaules, il continuait à parler d'une voix chaude. Les mots n'avaient plus d'importance, mais peu à peu ils l'apaisaient et c'était là l'essentiel.

— Quand j'étais jeune, raconta-t-elle enfin, j'avais l'habitude de taquiner mon demi-frère. Ses vengeances étaient chaque fois plus dures. Le jour de mes douze ans, nous jouions au lac. Il me pressa la tête sous l'eau. Je me débattis et il me cassa le bras. Orton parvint à convaincre ma belle-mère et mon père que ce n'était qu'un accident. Je l'évitai le plus possible à dater de ce jour et cessai de le harceler.

— Sage décision, commenta Dolph qui eût été capable de tordre le cou à son demi-frère en cet instant.

Belinda se laissa conduire sous une des douches de la marina pour se rincer à grande eau du sel. Dolph l'essuya vigoureusement puis fit de même pour lui.

— Nous pourrions aller faire un tour? suggéra-t-il lorsqu'ils furent revenus à la voiture.

— Non, refusa Belinda d'un ton résigné. Je dois rentrer.

— Je vous en prie, pardonnez-moi, demanda-t-il encore.

La jeune femme acquiesça d'un sourire triste puis s'éloigna lentement. Il était temps de rentrer aux États-Unis, pensait-elle. Elle pourrait toujours contacter Brooks, son avocat, pour obtenir un prêt d'argent. Mais alors Hector risquait de la retrouver...

— Je vous en prie, ne partez pas, s'écria Dolph.

Il ne la connaissait pas depuis vingt-quatre heures, mais la souffrance de la voir s'en aller était bien réelle.

— Je ne pars pas pour vous punir, lui lança Belinda d'une voix douce. C'est simplement mieux comme ça. Il faut que je retienne un billet d'avion pour retourner chez moi.

— Laissez-moi prendre un pique-nique au village, proposa-t-il vivement. Nous ne parlerons que si vous le désirez. Nous contemplerons la mer, les oiseaux, les bateaux qui entrent et sortent du port.

Dolph n'avait jamais supplié personne auparavant. Mais il ressentait un besoin d'elle pour des raisons aussi nombreuses qu'indistinctes. Soulagé, il la vit enfin accepter d'un sourire.

— Il faudrait vous débarrasser de ces vêtements mouillés.

Maintenant qu'elle avait accepté de rester, Dolph ne pouvait s'empêcher de détailler ses seins parfaitement moulés par le coton mouillé de son chemisier. Il lui proposa de prendre une de ses chemises restées dans la Rover.

— Je ne porte aucun dessous, déclara-t-elle, surprise de constater que toute peur en elle avait disparu.

— Ah! Évidemment, fit-il, pris de court. Mais... ma chemise est en toile épaisse et vous arrivera sans doute aux genoux. Le temps que tout soit séché, cela me paraît convenable, non?

— Tout à fait, admit-elle de façon parfaitement naturelle.

Son sourire lui mit le cœur à l'envers. Pris d'une impulsion subite, il s'élança vers elle, mais elle l'évita. En la suivant vers la voiture, Dolph marchait sur des charbons ardents. D'où venait cette soudaine importance qu'elle avait pour lui ?

Il lui donna sa chemise et la regarda s'éloigner vers le hangar à bateaux d'une démarche souple et ondoyante, involontairement provocante. Il ne s'était jamais senti aussi peu sûr de lui. Belinda était une sorcière, une enfant imprévisible qui l'intriguait comme personne.

Dolph enfila lui aussi des vêtements secs et se tenait près de la voiture quand elle ressortit du hangar. Il la fixa des yeux. La chemise cachait le secret de son corps féminin sous ses amples replis. Tant d'innocente sensualité lui donnait le tournis.

Il ne leur fallut que quelques minutes pour gagner le prochain village. Ils achetèrent du pain et des saucisses à emporter chez le traiteur du coin. Belinda avait retrouvé sa gaieté et son rire perlé emplissait Dolph d'un bonheur communicatif. Chez l'épicier, ils achetèrent une nappe, des serviettes et un panier pour y glisser leur pique-nique additionné d'olives, de jus de fruit et d'une bouteille d'eau minérale.

Ils revinrent à la voiture et leurs regards se croisèrent au moment où Dolph lui tenait la portière ouverte.

— Avez-vous faim? questionna-t-il en s'installant au volant.

— Et soif, soupira Belinda.

« Et tellement heureuse aussi! » pensa-t-elle en silence.

Dolph ne s'était jamais beaucoup préoccupé de savoir si l'on partageait ou non certains de ses plaisirs. Or, cela devenait subitement ce qui lui importait le plus. Il restait sourd à la voix intérieure lui répétant qu'il était impossible et inutile de s'engager dans une relation avec Belinda. Elle était si jeune et elle surgissait dans sa vie au moment même où il lui fallait s'investir totalement dans son travail pour réussir à percer.

Il quitta le village et remonta vers les collines. Sa conduite était lente et songeuse. Le temps d'arriver jusqu'aux pinèdes du plateau, la jeune femme s'était assoupie.

Dolph avait l'intuition que la peur panique que lui avait inoculée son demi-frère était un cauchemar à répétition dont elle n'avait pu encore se délivrer. Désormais il voulait tout savoir sur elle afin de pouvoir disperser cette zone d'ombre.

Un nuage d'inquiétude passa sur sa joie présente. Avait-elle assez dormi la veille? Manquait-elle de quelque chose? Il dut se raisonner. Tout allait bien. Il l'avait vue à l'œuvre sur sa planche à voile. Elle était en parfaite condition physique. Rassuré, il se laissa aller au sentiment nouveau qui le portait vers elle dans un flot d'affection et de tendresse, lui qui ces dernières années n'avait connu que l'ambition et la volonté de réussir.

Belinda changeait de telles perspectives. Jusqu'ici, Dolph se satisfaisait de l'attachement de ses amis. Vivant seul et pour lui-même, il ne s'était jamais soucié de lier son sort à quiconque et se contentait tout à fait de liaisons féminines passagères. Ayant perdu ses parents encore jeune, il avait appris très tôt à composer avec sa propre solitude.

Mais Belinda était tout à la fois le soleil et le réconfort. Il avait fallu qu'elle arrive pour qu'il sache que cela lui manquait.

Sur les hauteurs soufflait un vent plus fort. Il déplièrent la nappe sous l'abri d'un rocher et déballèrent le déjeuner. Grignotant les olives marinées dans un bain d'huile et d'aromates, ils s'adossèrent à un rocher et contemplèrent tout en bas la mer miroitant à l'infini sous les feux du soleil.

— J'aime tant le bruit du silence, murmura Belinda.

Dolph ne put s'empêcher de lui déposer un baiser sur la joue. En retour, elle lui dédia un lumineux sourire.

— C'est quoi, le bruit du silence? s'enquit-il gaiement.

— Plein de choses. La respiration de l'air, le souffle impalpable d'une brise dans le feuillage, le cri d'un oiseau ou même le chant des gouttes de pluie sur une pierre chaude.

Dolph était sous le charme. Avec quelques mots simples, Belinda donnait vie aux images qui étaient en lui mais qu'il avait ignorées depuis les vingt-neuf ans de sa propre vie. Elle lui redonnait le goût, les parfums et la beauté de ce monde qu'il ne prenait jamais le temps d'apprécier.

Ils s'allongèrent plus confortablement sous le rocher, épaule contre épaule, dégustant des fruits, bavardant avec insouciance. Dolph imita le cri de l'oiseau, Belinda le chant de la pluie, ce qui les fit partir d'un grand éclat de rire.

Puis, comme à un signal, ils s'endormirent ensemble.

Lorsque Dolph rouvrit les yeux, ce fut pour rencontrer le bleu du ciel. Le fait de reposer aux côtés de Belinda lui procura une sensation d'harmonie parfaite. Il ramassa un brin de thym et le promena sur le nez de la jeune fille pour la réveiller.

Belinda ne s'était pas sentie aussi tranquille et paresseuse depuis très longtemps. Sa vie n'avait été qu'un long maelström, semblait-il, depuis que ses parents avaient contracté une maladie fatale au cours d'un safari en Afrique. Envoyée en pension pour poursuivre ses études, elle y avait trouvé une certaine sécurité. Mais Hector avait recommencé à la harceler. Elle devait l'épouser, ne cessait-il de dire, et lui reverser la totalité de sa rente au lieu de la dépenser à tort et à travers. Déjà qu'elle ne l'aimait pas du vivant de ses parents, la jeune fille apprit vite à le détester, tant il devint odieux après leur mort. Depuis lors, sa vie n'avait été qu'une fuite frénétique. Hector s'était déchaîné, mais Belinda avait pris conscience qu'il finirait par la détruire si elle ne coupait pas tous les ponts. Désormais, elle ne faisait plus confiance à personne et refusait de s'attacher. Mais avec Dolph... elle se découvrait rassurée, détendue.

Ce nuage-là ressemble à un mouton, murmura-t-elle, et celui-ci à une brebis.

— Et à gauche, nous avons un âne, fit remarquer Dolph en levant à son tour le bras vers un gros cumulus blanc.

Il se sentait incroyablement heureux d'être auprès d'elle à détailler le ciel et ses cortèges de nuages cotonneux. A sentir Belinda toute chaude contre lui, il se sentait plus insouciant qu'un jeune garçon... bien que d'autres sentiments en lui fissent appel à sa maturité d'adulte. Mais il les chassa de son esprit.

— Il vous faut des lunettes, monsieur Wakefield. Ce nuage n'a rien d'un âne. Il ressemble à un train, dit-elle en riant.

Elle aussi retrouvait au contact de Dolph sa pureté de petite fille, oubliée depuis qu'Hector était revenu dans sa vie.

— Mais non, pas celui-là, celui-ci, insista-t-il en le désignant cette fois-ci du bout du pied.

Tous deux se prirent au jeu des devinettes, comme font les enfants qui se chamaillent des heures durant sur les formes dessinées par tel ou tel nuage. Dolph rivalisait d'imagination et de sérieux pour trouver le meilleur dessin au point que Belinda dut lui rappeler qu'il ne s'agissait que d'un jeu.

— As-tu été privé de jeux dans ton enfance? demanda-t-elle en se retournant sur le ventre pour le regarder en face.

— A vrai dire, j'ai toujours eu tout l'argent et les jouets que je voulais, avoua-t-il. Mes parents m'aimaient beaucoup. C'était une vie de luxe, mais peut-être ai-je manqué justement de ces joies simples qui suffisent au bonheur d'un enfant. Nous étions souvent en voyage. J'adorais ça,

24

parce que je découvrais sans cesse d'autres cultures et d'autres façons de vivre.

Ses parents l'avaient aimé à leur manière, de façon plutôt intermittente et rythmée par les déplacements incessants qu'imposaient leurs responsabilités envers leur pays. Son père était diplomate, et sa mère descendait d'une des plus prestigieuses familles britanniques. Le devoir était le maître mot de leur existence. Dolph s'en était trouvé un peu solitaire, sans jamais se sentir vraiment seul pour autant.

— Tes parents t'ont déja vu jouer? s'enquit Belinda.

— Mes parents sont morts depuis longtemps, mais ils m'ont vu effectivement dans un rôle, à une ou deux reprises.

Bien qu'ils s'en soient cachés à l'époque, Dolph avait senti qu'ils désapprouvaient secrètement son choix de carrière. Ils auraient souhaité qu'il leur ressemblât, mais n'avaient jamais remis sa décision en cause.

Dolph avait connu beaucoup de gens. Il aimait la plupart d'entre eux, n'appréciait pas les autres et en méprisait quelques-uns. Mais jamais personne n'avait passé ses défenses. Personne n'avait approché sa vraie nature d'aussi près qu'elle, Belinda.

Il leva à nouveau les yeux vers le ciel et montra un nuage.

— Tu vois celui-là? C'est toi, dit-il.

— Non.

— Si, insista-t-il en plongeant son regard dans le sien. Es-tu une magicienne, Belinda?

— On m'a traitée de bien pire que ça.

Dolph ne sut jamais à quel moment précis, il lui avait pris la main. Il la porta simplement à ses lèvres et baisa lentement, l'un après l'autre, chacun de ses doigts.

La jeune fille lui renvoya son merveilleux sourire, qui eut pour effet de lui faire bondir le cœur dans la poitrine tandis que tout son être vibrait d'une joie silencieuse et sans mélange.

2

BELINDA et Dolph venaient de passer quinze jours ensemble, sans avoir échangé aucune véritable confidence personnelle. Au départ, cela ne s'imposait pas comme une urgence. Mais depuis, Dolph était devenu désireux d'en savoir plus sur celle qui occupait désormais toutes ses pensées.

Il n'avait jamais partagé aussi étroitement la vie d'une femme sans qu'elle devînt rapidement sa maîtresse. Mais son intimité avec Belinda se résumait à quelques baisers occasionnels sur la joue ou sur la main. Pourtant, il ne s'était jamais autant engagé avec quiconque auparavant. Bien qu'il sût fort peu de choses à son propos, Belinda était devenue partie intégrante de lui-même, comme par le fait d'une osmose magique et mystérieuse.

Son bon sens lui suggérait de la percer à jour. Dolph avait toujours protégé sa vie intime du monde extérieur. Après tout, elle pouvait tout aussi bien n'être qu'une groupie ou même une de ces journalistes de la presse à scandale, capable de détruire l'édifice encore fragile de sa carrière naissante. Non! Il n'écouterait pas les voix qui lui recommandaient la prudence. Il était heureux. Belinda l'avait délivré de ses propres démons en lui offrant l'espérance et la sérénité.

Dans son métier, Dolph s'était toujours efforcé d'être fin prêt quand venait le moment de tourner. Il se mit à préciser son jeu davantage encore, afin d'atteindre son but dès la première prise d'une séquence. Cela allait jusqu'aux repas de midi, dont il profitait pour méditer, répéter et perfectionner chacun de ses gestes et de ses attitudes. Cette efficacité se traduisait en gain de temps et lui permettait de terminer assez tôt pour revenir auprès de Belinda avant la tombée du jour.

Tous deux sortaient alors le bateau dans le rougeoiement du soir et contemplaient le soleil plonger sous l'horizon marin. À chaque retour à la villa, Dolph était tenaillé par la peur qu'elle fût partie, comme elle avait dit vouloir le faire un jour ; et son soulagement était immense de voir qu'il n'en était rien.

Rentrant chez lui ce jour-là avec son pressentiment habituel, il se rua dans la maison pour tomber sur Lorette.

— Où est-elle ? s'inquiéta-t-il immédiatement.

— Et où voulez-vous qu'elle soit ailleurs que dans le jardin ? répondit la femme de ménage avec son franc-parler coutumier. Elle est en train d'en faire un vrai paradis de légumes.

— Vous adorez les légumes, Lorette. Et moi aussi.

— Comme vous dites. En plus, c'est toujours ça de gagné sur le marchand du village... un sacré voleur, si vous m'en croyez.

Sans plus prêter l'oreille à la sempiternelle diatribe de Lorette sur les défauts du marchand de légumes, Dolph gagna le jardin où il trouva Belinda en plein bronzage.

— Fais attention aux coups de soleil, la prévint-il.

— C'est déjà fait, fit gaiement la jeune femme. Comment s'est passée ta journée?

Elle se leva et s'avança vers lui sous l'ombre de la tonnelle. Dolph remarqua que la vigne vierge était débarrassée du lierre, que les plants de melons étaient ordonnancés autour de leurs tuteurs. Belinda avait métamorphosé le vieux jardin tant négligé

— Tu ne devrais pas te donner autant de peine, suggéra-t-il.

Tu ne me parles pas de ta journée?

Dolph résista difficilement au désir de l'embrasser.

— Ma journée. Voyons voir. Eh bien, on a drôlement travaillé. Quinze prises de la première séquence, et nous nous sommes battus avec la deuxième sans réussir à la mettre au point.

La conception qu'il avait de son métier était chose si intime qu'il ne la partageait que rarement. Mais avec Belinda, il ressentait le besoin de raconter tous ses rêves et ses buts. En cela aussi, quelque chose de nouveau s'était produit dans sa vie.

— Maintenant, à toi de me raconter ta journée, jolie fermière.

— Comme tu peux voir, dit la jeune femme en balayant de la main le jardin tout entier. Demain, je mettrai de l'engrais sur la partie gauche pour y planter des tomates et des oignons.

Belinda goûtait plus que tout sa présence auprès d'elle. Parfois, son départ du matin la rendait triste à pleurer.

— C'est ce que tu faisais aux États-Unis? demanda Dolph. Du jardinage?

L'alerte qu'il lut instantanément dans son regard lui fit regretter d'avoir posé cette question.

– Si nous allions nous baigner? enchaîna-t-il aussitôt.

– Je suis horriblement sale, observa la jeune femme s'absorbant dans l'examen de sa tenue pour dissimuler son trouble.

– La mer nous lavera tous les deux, décida-t-il. Je te donne exactement cinq minutes.

Il tourna les talons en priant pour qu'elle oubliât l'incident, mais la vit soudain le dépasser en sprintant vers le hall.

– Le dernier à la voiture a un gage, s'écria-t-elle.

Bouche bée, Dolph perdit une seconde précieuse puis se lança derrière elle en poussant un cri de guerre. En un éclair ils furent dans leurs chambres pour prendre serviette et maillot de bain, et ressortirent en trombe. Avec un léger temps d'avance, Belinda commença à dévaler l'escalier. Mais Dolph enfourcha la rampe sur laquelle il glissa vers le hall comme sur un toboggan.

– Tricheur! protesta-t-elle en se voyant distancée.

Il parvint le premier à la voiture et l'attendit derrière le volant, sourire ironique aux lèvres.

– Pour un peu je te mordrais le nez, dit la jeune femme en s'accoudant contre sa portière.

– Quand tu voudras, proposa-t-il d'une voix profonde.

Elle se pencha un peu plus et Dolph fit de même, de sorte que leurs bouches se retrouvèrent proches à se toucher.

– Tricheur, répéta-t-elle, boudeuse et tendre à la fois.

Ce fut un baiser rapide, à peine un effleurement des lèvres, mais qui fit à Dolph l'effet d'une décharge électrique. De son côté, Belinda fondit sur place. Elle recula, confuse et rougissante.

– Eh bien... ma foi... c'était presque une morsure en fin de compte, balbutia-t-elle.

Piquant du nez, elle fit rapidement le tour de la voiture pour monter du côté passager. Dolph démarra aussitôt pour descendre l'allée vers la route. Il était dans tous ses états : la peur, l'attirance et l'émerveillement se bousculaient en lui.

Belinda fixait obstinément le pare-brise comme s'il lui eût été impossible de s'en détacher. Un désordre anarchique régnait en elle, bataillant de pensées parfaitement contradictoires. Son cœur aimait cet homme. Sa raison le détestait. N'y avait-il pas de juste milieu ?

Quand la voiture stoppa près de la marina, elle en gicla littéralement.

– Belinda ! cria Dolph en courant à sa suite.

– Je vais nager, lança celle-ci par-dessus son épaule.

Abandonnant son sac et ses vêtements pêle-mêle à ses pieds, elle courut sur le sable chaud pour se jeter à l'eau, Dolph sur les talons. Ils nagèrent longtemps côte à côte jusqu'à ce que Belinda se mît sur le dos pour faire la planche.

– C'est délicieux, dit-elle en soupirant d'aise. La terre du jardin m'était rentrée jusque sous la peau, j'en suis sûre.

– Tu en fais trop. Engage quelqu'un qui travaille à ta place.

– Pour qu'il soit incompétent et que je repasse derrière ?

– Je t'ai indisposée en t'embrassant tout à l'heure ? l'interrogea Dolph en lui caressant le bras.

– Si tu appelles ça embrasser, tu as beaucoup à apprendre.

31

A ces mots, elle plongea au cœur de l'onde. Dolph la suivit vers les profondeurs colorées de la flore sous-marine.

— Belinda, lui intima-t-il lorsqu'ils refirent surface, ne peux-tu pas m'écouter une seconde? Je te jure que je ne voulais pas t'embarrasser.

— Mais ce n'est pas le cas. J'ai même plutôt aimé ça... bien qu'un peu trop rapide à mon goût, observa-t-elle avec un sourire ingénu. D'ailleurs, je peux faire beaucoup mieux, tu sais.

— Moi aussi.

— Eh bien alors, allons-y.

— Tu n'es qu'une enfant, maugréa Dolph.

— Tu te trompes. Deux de mes amis au collège se sont mariés cette année et...

Elle se tut brusquement en se souvenant de ce jour de mariage. Elle avait haï Hector pour l'odieux scandale qu'il avait fait à cette réception. Son insistance pour l'obliger à rentrer avec lui avait dépassé les bornes. Ce soir-là, elle avait décidé de partir pour l'Europe.

— Confie-toi à moi, murmura Dolph.

— C'est sans importance, éluda-t-elle. De toute façon, j'ai abandonné mes études.

— Remets-toi au travail, Belinda. Finis ce que tu as entrepris et décroche ton diplôme.

— Ça t'est facile d'en parler, toi qui en as fini avec tout ça.

— Certains souvenirs de mes études font partie des plus beaux moments de ma vie, objecta-t-il.

— Nous parlions de nous embrasser, Dolph.

— Ah bon?

— Je ne suis plus une enfant. Embrasse-moi, je t'en prie.

Il la scruta du regard, se demandant quel était ce moment terrible advenu dans son collège et dont elle refusait de parler.

– Un petit ami t'aurait-il causé des ennuis? s'enquit-il.

– Quoi? explosa-t-elle, avalant de ce fait une gorgée d'eau salée qui lui brûla la gorge et la fit tousser. Aucun petit ami ne m'a jamais cherché d'ennuis.

– Voilà qui précise le tir, non?

– Écoute, Dolph. Si tu cherches une excuse pour ne pas m'embrasser, je te donne le bonsoir.

La jeune fille voulut s'échapper, mais il l'attrapa par le bras pour la ramener tout contre lui.

– On est une femme à dix-neuf ans, implora-t-elle. Et je resterai ici même, dans l'eau, jusqu'à ce que tu te décides.

– Me voilà fait, fit Dolph en éclatant de rire.

– Exactement, approuva Belinda en lui prenant le visage à deux mains. Je vais couler si tu ne me tiens pas.

– Je te tiens, répondit-il en l'enlaçant.

Dolph sut que toutes ses défenses s'effritaient. Les scénarios, les tournages, les rôles, tout était loin déjà. Seule restait Belinda.

Leur baiser fut tendre et hésitant comme l'est une première découverte. Quand les lèvres de la jeune fille s'entrouvrirent, Dolph se sentit enlevé à lui-même. Ils s'enfoncèrent dans l'onde, bouche contre bouche, pressés l'un contre l'autre.

L'instant d'après, ils revinrent à l'air libre. Dolph étudia ses yeux immenses et limpides, d'un bleu noyé de transparences. Ses lèvres tremblaient de désir. Elle jeta sur lui deux bras de sirène, oubliant qu'ils étaient à deux cents mètres de la plage.

– Pas ici, fit-il brusquement.

– Très juste. Mais ne t'avise pas de changer d'idée en cours de route, d'accord?

Elle le désirait de façon élémentaire et animale. S'il ne lui restait un jour que des souvenirs, il fallait qu'ils soient les plus beaux, les plus forts, les plus ineffaçables.

Dolph n'avait jamais eu les sens aussi aiguisés et impérieux. Une fois revenus sur la plage, il la saisit dans ses bras pour l'emporter jusqu'à la voiture, où il la déposa sur le siège

— Dolph, pourquoi ne me regardes-tu pas? implora-t-elle en le retenant par la nuque.

La crainte qu'il puisse ne pas partager l'intensité de son propre amour la poignardait en plein désir.

— Tu mets le feu aux poudres, répondit-il. Aucune chaîne ne t'attache à moi. Tu peux partir à tout instant, comme tu peux rester chez moi tout le temps que tu voudras. Jamais je ne ferai pression sur toi pour t'influencer. Comprends-tu? Je te veux, Belinda... mais plus encore je te veux libre et apaisée.

La jeune fille ne répondit pas. L'image effrayante d'Hector s'interposait encore, comme un écran entre elle et la vie.

— Tu ne veux toujours pas te confier à moi? s'enquit Dolph.

Les secrets les plus profonds des êtres étaient une chose qu'il respectait profondément. Mais il se sentait assailli de doutes et son désir de connaître la jeune fille était plus fort que tout. Celle-ci blottit son visage au creux de son épaule.

— Pas encore, répondit-elle en lui soufflant gentiment dans le creux de l'oreille tandis qu'une nouvelle vague de désir la faisait palpiter tout entière.

— Ne cesse jamais d'être ce que tu es, répondit Dolph. C'est tout simplement merveilleux. Rentrons maintenant. Lorette sera partie en nous laissant probablement quelque chose à dîner.

— Nous serons seuls?

— Parfaitement seuls, confirma-t-il en refermant sa portière.

— Ça me va tout à fait. A toi aussi j'espère. Dis-moi, c'est un sourire que je vois là sur ton visage, non?

— C'est exact, petit démon. C'est bien un sourire, rétorqua Dolph, le cœur battant en démarrant pour quitter la marina.

— Tu peux certainement mener cette brouette beaucoup plus vite que ça, observa Belinda. Je t'ai déja vu à l'œuvre.

— C'était pour élargir le champ de tes expériences.

Se glissant près de lui sur la banquette, elle posa son pied nu sur le sien et appuya à fond. La Rover fit un bond sauvage. Il aurait dû lui enjoindre d'arrêter au nom de leur sécurité, mais n'en fit rien. Le chaud contact de son pied nu contre le sien dégageait un érotisme qu'il n'avait jamais connu auparavant et il désirait faire durer cette sensation nouvelle.

Dolph pila des quatre roues devant la villa et descendit pour lui ouvrir galamment la portière.

— Il t'est encore possible de changer d'avis, indiqua-t-il.

— Je ne te laisserai pas la même possibilité, répliqua la jeune femme avec un sourire malicieux.

Lorsqu'il l'enserra dans ses bras, Dolph crut que son sang allait entrer en ébullition.

— Belinda, chuchota-t-il, je crois bien que tu es une magicienne. Aucun être humain ne possède un tel pouvoir.

La jeune fille éclata de rire, s'accrochant à son cou tandis qu'il l'emportait dans la maison.

— Nous pourrions prendre un bain brûlant, suggéra-t-elle.

— Il fait trop chaud pour ça, estima Dolph. Mais nous pouvons prendre une douche ensemble si tu veux.

Elle lui mordilla le cou, là où la peau est la plus sensible.

— Belinda, protesta-t-il, attends que nous ayons pris notre douche pour me faire ce genre de chose.

— Ça te chatouille?

— Ça me donne des frissons diaboliques.

— Je trouve ça plutôt sexy moi aussi, admit-elle.

Ils parvinrent tous deux jusqu'à la salle de bains et il la déposa au sol sans pour autant lui lâcher la main. Belinda voulut tirer sur l'élastique de son maillot de bain pour l'enlever.

— Non, fit-il en l'arrêtant du geste. Laisse-moi te l'enlever.

Elle accepta en frissonnant de la tête aux pieds.

— Ne crois pas que je tremble parce que j'ai peur, Dolph. C'est juste que j'ai tellement envie de toi.

— Moi aussi, fit-il en s'agenouillant devant elle.

— Je sens mon cœur battre à tout rompre, chuchota-t-elle en lui prenant la tête dans ses mains. S'il m'arrive un incident cardiaque, je te préviens que je te poursuivrai en justice.

Il lui déroula le maillot jusqu'à hauteur des hanches. C'était d'un érotisme insoutenable, qui le faisait trembler à son tour. La ligne de ses seins frisait la perfection. Lourds et fermes, ils étaient couronnés de leur bouton d'un rose nacré qu'il ne put s'empêcher de saisir entre ses lèvres.

36

— Mon Dieu, je vais fondre sur place, haleta la jeune fille.

— Je ressens la même chose, mon amour, articula-t-il en lui retirant son maillot tout entier tandis que les doigts de Belinda caressaient convulsivement ses cheveux.

— Tu as dû... faire cela... plein de fois, balbutia-t-elle. Tu le fais... tellement bien.

— Je n'ai jamais fait précisément cela avec personne, nia-t-il. Mais je désire le faire le mieux possible parce que je ne pense qu'à te rendre heureuse.

— C'est un très bon début en tout cas, soupira Belinda.

Une fois sous la douche, ils se caressèrent et se lavèrent mutuellement à gestes tendres et lents, chassant le sel qui leur collait à la peau et se passant le shampooing sans cesser de se toucher. Ils s'essuyèrent ensuite l'un l'autre avec d'immenses draps de bain. Dolph regardait Belinda devant lui, nue comme Ève au premier jour. Elle gardait une légère touche de pudeur.

— Ça t'ennuie que j'aime te regarder nue? l'interrogea-t-il.

— C'est-à-dire... non, fit-elle, hésitante. C'est juste que je n'en ai pas l'habitude, tu comprends.

Dolph l'entraîna par la main hors de la salle de bains.

— Qu'en penses-tu? demanda-t-il quand ils rentrèrent dans sa chambre dont le vaste lit circulaire occupait tout l'espace.

— Seigneur! s'exclama-t-elle. Ils font des lits aussi grands que ça? Je pensais qu'ils n'existaient qu'au cinéma. Qu'est-ce qu'on va faire? Le mesurer avec un compas?

— Où as-tu déniché une pareille expression? s'enquit Dolph que l'idée fit hurler de rire.

– Je ne sais pas. Peut-être un livre ou un film. Pourquoi? Ce n'est pas convenable?

– C'est même carrément provocant si l'on pense au compas de tes jambes, ironisa-t-il en l'embrassant sur le front.

Il en riait encore en la portant vers sa couche, tout en plongeant entre ses lèvres d'un long baiser brûlant.

– Comment fais-tu pour me rendre fou de désir et de rire à la fois? s'amusa-t-il.

– Qui sait? Je descends peut-être d'une famillle de clowns.

– Vraiment? Raconte-moi ça.

Belinda hocha pensivement la tête. Qu'aurait-elle pu bien raconter? Qu'elle avait un demi-frère dont le seul but était de la rendre folle? Que ce dernier la terrifiait par ses accès de fureur et par la marque indélébile qu'il avait imprimée dans ses rapports avec les hommes? Elle avait toujours pris soin d'éviter Hector. Mais elle avait repris courage dans sa rencontre avec Dolph et se sentait désormais capable de l'affronter pour faire valoir ses droits.

Tout cela ressemblait finalement à un vieux roman démodé dont elle ne voulait pas tourner les pages, surtout en présence de Dolph allongé auprès d'elle. Ce dernier lui caressa le bras.

– Puis-je me rappeler à ton attention? dit-il gentiment.

– Rien de plus facile, répliqua-t-elle en émergeant de sa méditation. Tu occupes mes pensées jour et nuit, de toute façon.

Une candeur aussi spontanée bouleversa Dolph et il pressa son visage contre les seins généreux, laissant courir ses lèvres au creux de leur sillon.

– Belinda, fit-il en redressant la tête, ça te ferait

peut-être du bien de me confier ce qui semble te hanter si fort.

— Je l'aurais déjà fait si c'était important, répondit la jeune fille. Mais ce n'est là rien que de très ennuyeux et je ne sais même plus quelle est la part de mon phantasme et celle de la réalité. De plus, ce n'est vraiment ni l'heure ni l'endroit, non?

La belle affaire, songea-t-elle, que d'avouer à Dolph qu'en fuyant les États-Unis, c'était aux coups d'Hector qu'elle avait échappé. Hector qui lui réclamait toujours plus d'argent et exigeait qu'elle l'épousât. La petite rente annuelle qu'elle avait reçue en héritage ne suffisait pas pour deux personnes. Hector voulait aussi mettre la main sur la prime d'assurance, mais elle ne le laisserait jamais faire. Elle en aurait trop besoin, un jour, pour faire un nouveau départ dans la vie.

— Je ne veux penser qu'à toi et à nous, murmura-t-elle en revenant à Dolph, ainsi qu'à ce que nous allons faire.

Ele lui caressa la nuque et les épaules de ses doigts effilés, chassant Hector de son esprit. Dolph prit ses seins au creux de ses paumes pour en titiller les bouts avec les dents.

— Ta peau est si soyeuse, chuchota-t-il.

— Mon Dieu, je ne savais pas... que tu étais... cannibale. Je me sens prête à m'enflammer, haleta la jeune fille.

Donnant, recevant et partageant leurs caresses, ils s'exploraient l'un l'autre et se découvraient petit à petit.

Quand Belinda se sentit sur le point d'exploser d'un désir incommensurable, elle cria son prénom sans plus de retenue. Le sang de Dolph battait dans ses tempes lorsqu'il la couvrit enfin de son corps pour la posséder. Mais la légère crispation qu'il sentit en elle à cet instant le fit hésiter.

– Regarde-moi, Belinda chérie. Serait-ce ta première fois?

– Quelle différence? répondit-elle. Sache simplement que je ne suis pas une petite groupie qui joue encore à la poupée.

– C'est donc bien ça. Tu es vierge.

– Dolph! protesta-t-elle. Tu penses que c'est vraiment le moment de passer un questionnaire? Ça n'a aucune importance.

– Si. Cela en a une. Mais ne prends pas cet air inquiet. Je ne vais pas m'arrêter pour autant.

– C'est bien ce que j'espère, fit-elle, soulagée et désormais certaine que Dolph devait être le premier, car il était le seul homme à l'avoir jamais touchée.

Lui se mit à rire, parcourant son corps de baisers sous lesquels elle poussait de petits gémissements de plaisir. Au cours des dix-neuf ans de sa courte vie elle ne s'était jamais connue aussi libre, tout en étant consciente que Dolph l'avait arrimée à lui par des liens indestructibles.

Ses caresses étaient tondres et impérieuses à la fois, de sorte que Belinda s'en trouva de plus en plus soumise et docile. Son corps de sirène semblait vouloir se diluer dans le sien et s'ouvrait déjà pour l'accueillir.

– Dolph, murmura-t-elle d'une voix défaillante.

– Oui mon amour, je suis là. As-tu vraiment envie de moi?

– Oh, tellement, Dolph, tellement. Mais pourquoi me fais-tu tant attendre? Pourquoi ne viens-tu pas?

Il leva sur elle son regard et la jeune fille put y

lire toute la passion qu'il s'efforçait de retarder encore.

– Je veux que ta première fois soit parfaite, Belinda.

– Je n'ai pas peur, répondit-elle. Même si cela me fait mal.

– Tu n'auras pas mal, ma chérie, dit-il en portant ses lèvres au plus secret de son corps. Je t'aime, laisse-toi faire, ajouta-t-il quand elle tenta de résister à ce nouvel assaut de douceur.

Son corps tout entier s'arqua sous la pression infiniment intime tandis qu'elle sentait affluer dans ses veines une lave torride et chauffée à blanc. La tête renversée sur l'oreiller, le souffle court, elle n'était plus que fièvre et passion.

Dolph perçut que Belinda partait dans l'ascension vertigineuse du désir. Elle se liquéfiait sous lui, offerte et pantelante. C'est seulement lorsqu'il la vit prête à basculer dans le vide qu'il la prit enfin, tout en douceur pour ne pas lui faire mal.

– Je suis là, mon amour. Je suis à toi. Viens à moi maintenant, lui murmura-t-il.

Ils gravirent ensemble les pentes de l'extase pour s'unir au sommet sur l'autel de l'amour, puis redescendirent de même, étourdis d'un plaisir qui les laissait maintenant épuisés, inextricablement liés l'un à l'autre par le corps, le cœur et par le don d'eux-mêmes.

– C'est fou, j'ai l'impression d'avoir vaincu l'Everest, haleta Belinda encore tout étonnée de ce qui venait d'arriver.

– Tu l'as fait. Et tu m'as emmené avec toi, ma chérie.

– Pourtant il y a quelque chose qui cloche, reprit-elle.

– Quoi donc? s'enquit Dolph d'une voix

dolente en nichant son visage au creux de ses reins.

– Je ne devrais pas me sentir aussi bien, tu comprends. Normalement, une fille est triste après avoir fait l'amour pour la première fois. Elle a mal ou elle est malheureuse. Je ne ressens rien de tel. C'est anormal. On ne l'a peut-être pas bien fait?

– Nous l'avons si bien fait au contraire que nous pourrions l'enregistrer au livre des records, observa Dolph.

– Pourquoi pas? Mais ça deviendrait public et beaucoup moins intime. Promets-moi de ne plus jamais me quitter, ajouta-t-elle en l'embrassant.

Je n'en ai absolument aucune intention. Et toi, promets-tu de rester auprès de moi? lui demanda Dolph à son tour, attendant sa réponse comme si toute la joie du monde en dépendait.

– Combien de temps me garderas-tu? répliqua Belinda.

– Aussi longtemps que tu le voudras. Je veux d'abord que tu finisses tes études, mais tout en restant avec moi. Qu'en dis-tu?

– Je ne veux plus te quitter, fit-elle, rougissante de bonheur. Mais tu te lasseras peut-être de la petite provinciale que je suis à force de passer ton temps avec les plus belles starlettes.

– Ce que nous venons de partager est la chose la plus unique et la plus irremplaçable qui soit, lui confia Dolph en la serrant contre lui. Je veux que cela dure toujours. Bien sûr, je croiserai des filles belles et intelligentes, auprès desquelles mon métier m'imposera de jouer le rôle d'amoureux transi ou de séducteur impitoyable. Mais tu resteras toujours la seule, Belinda, dans mon âme et dans mon cœur.

Il était peut-être un peu tôt pour qu'il s'avançât de la sorte, mais sa conviction l'emportait sur la prudence en cet instant.

– Je n'arrive pas à croire que nous prononcions de telles paroles, soupira la jeune femme sur sa poitrine. C'est comme si nous avions levé le voile d'un autre monde, un monde à nous.

– Je t'aime, murmura Dolph.

– Je t'aime aussi. Et c'est arrivé si simplement. Je n'aurais jamais cru pouvoir aimer quelqu'un sans l'avoir connu depuis cent ans au moins, le temps de tout savoir de lui.

– Nous apprendrons peu à peu à nous connaître, sans urgence et en savourant chaque révélation, chaque aveu, répliqua Dolph en laissant courir sa bouche jusqu'à la naissance de ses reins, ce qui fit renaître son désir.

– Mon Dieu, Dolph, tu es Superman? s'étonnat-elle aussitôt. J'ignorais qu'on pût recommencer si vite.

Elle accompagna ces mots d'un adorable rire de gorge et s'assit vivement à califourchon sur lui.

– Si tu n'y es pas disposée, nous pouvons remettre à plus tard, bougonna-t-il.

Il fit mine de se dégager, mais Belinda le retint aussitôt.

– Ce n'est pas ce que je voulais dire, protesta la jeune femme. J'avais juste entendu raconter qu'il n'était pas courant de pouvoir refaire l'amour aussi vite... si tu suis bien ma pensée, ajouta-t-elle en lui lançant un regard admiratif.

– A dire vrai, c'est aussi une grande première pour moi, avoua-t-il d'un ton joyeux. Ce doit être l'effet de ton pouvoir.

Elle se laissa à nouveau emporter sur le carrousel du désir, oscillant et tanguant d'une joie sans limites.

43

La passion déferla sur eux comme un cyclone. Affamés l'un de l'autre, ils s'offrirent encore et encore à l'incandescence d'un amour qui les consumait dans son brasier.

— Je n'avais jamais connu de moment pareil, lui souffla Dolph à l'oreille lorsqu'ils se désunirent à nouveau, comblés et hors d'haleine.

— Alors tu peux imaginer ce que je ressens de mon côté, soupira Belinda en le couvant d'un regard de gratitude.

Ils traversèrent cette première nuit dans les bras l'un de l'autre, faisant l'amour pour se rendormir ensuite et se réveillant de nouveau pour s'aimer à n'en plus finir.

Quand Dolph dut partir travailler ce matin-là, ils restèrent enlacés près de la voiture sans parvenir à rompre leur étreinte.

— Reviens vite, chuchota la jeune femme.

— Très vite, répondit-il.

Il lui fallut rassembler toute sa volonté pour s'arracher à elle, monter dans la voiture et s'éloigner.

3

LES semaines passaient et Dolph s'étonnait tous les jours de son bonheur. En considérant Belinda, il se demandait parfois si elle ne changerait pas un jour de sentiments à son égard. Elle était jeune et n'avait pas beaucoup d'expérience de la vie. On voyait souvent la vingtaine changer une personne du tout au tout et cela l'inquiétait. Lui-même approchait de ses trente ans et était déjà beaucoup plus défini.

Belinda avait oublié son demi-frère et ses ennuis passés. Pour la première fois de sa vie, la jeune femme pensait à se créer des racines et des liens d'engagement. Dolph remplissait ses jours et ses nuits. Il était tout pour elle. Et lorsqu'il lui arrivait d'imaginer qu'il puisse se lasser d'elle pour se tourner vers une autre femme, elle luttait contre ses craintes en s'efforçant de les chasser de ses pensées.

Tous deux construisaient peu à peu leur union dans la joie. Leurs personnalités respectives s'imbriquaient parfaitement, cimentées l'une dans l'autre par l'amour. Ils nageaient, faisaient du bateau ou de longues promenades sans jamais se quitter. A l'injonction pressante de Dolph, Belinda avait contacté l'université de Los Angeles qui avait admis son dossier d'inscription.

De son côté, Dolph était plutôt satisfait du tournage. Le réalisateur du film était enchanté de son travail. Mais lui s'impatientait que le script fût bouclé. Il imaginait déjà les temps à venir, quand Belinda et lui seraient de retour en Californie. Pendant qu'il tournerait un autre film, la jeune femme obtiendrait son diplôme et commencerait sa vie professionnelle... sans exclure qu'elle devienne par ailleurs une épouse et une mère.

Son sang courait toujours plus vite à l'idée du mariage, mais il s'imposait de ne pas en parler avant qu'elle eût en main les cartes de son avenir et pût décider de sa vie en toute liberté.

Pour Belinda, c'était tous les jours dimanche. Tout en poursuivant ses activités de jardinage, elle passait le maximum de temps avec Lorette pour perfectionner son français en vue de ses études à l'université.

— Vous êtes plus rayonnante qu'une rose, mademoiselle, lui dit un jour la brave Provençale. J'aime vous entendre chanter.

— C'est que je suis heureuse, répondit la jeune femme.

— Je vois ça. Et c'est monsieur qui en est responsable, hein?

— Gagné! s'exclama Belinda dans un éclat de rire.

La vie était belle et joyeuse. Dolph n'imaginait pas qu'une ombre puisse venir obscurcir un si joli tableau. Un soir pourtant, après le tournage d'une des dernières séquences du film, deux hommes l'attendaient à la sortie des studios.

— Mon nom est Hector Bledsœ, annonça le premier, un homme trapu d'une trentaine d'années tout au plus et dont le crâne était dégarni. Je suis le tuteur légal de Belinda Bronsky et voici M. Desmond, mon avocat. Vous essayez de me soustraire ma très chère sœur, monsieur Wakefield.

— Et ceci est une injonction en bonne et due forme, ajouta Desmond en tendant un papier sorti de sa mallette.

Dolph parcourut le document en réfléchissant rapidement. C'était donc là le point noir de la vie de Belinda ? Pourquoi ce prénom d'Hector lui semblait-il si familier ?

— J'attends vos explications, fit-il en s'adressant à l'avocat.

— La loi protège les personnes telles que Belinda, intervint Bledsœ. Vous autres, acteurs, croyez sans doute être au-dessus des lois, mais vous vous trompez lourdement.

— Je n'ai jamais pensé une chose pareille, répondit calmement Dolph en toisant son interlocuteur agressif.

Que cherchait-il au juste ? Son instinct lui soufflait qu'il n'était pas venu jusqu'ici pour le bien de Belinda.

— Que me voulez-vous ? demanda-t-il abruptement, ce qui fit ciller le dénommé Hector.

— M. Bledsœ veut dire que...

— Je suis assez grand pour m'exprimer tout seul, Desmond, le coupa ce dernier. Cette injonction signifie simplement que vous devez laisser ma sœur tranquille, Wakefield.

Dolph parcourut à nouveau le document d'un œil rapide.

— Si je lis bien ceci, Belinda est votre demi-sœur, Bledsœ, observa-t-il d'une voix neutre où perçait le froid de l'acier.

— Qu'importe, rétorqua l'autre avec morgue.

Vous ne verrez plus Belinda. Comme prescrit dans le testament de mon beau-père, elle est placée sous ma tutelle et...

— Je veux une copie de ce document, l'interrompit sèchement Dolph, de même que pour mon avocat. De mon point de vue, vos arguments de légalité ne tiennent pas debout, monsieur Bledsœ.

Il lui jeta le papier avec mépris tandis que Desmond roulait des yeux inquiets.

— N'essayez pas de me doubler, glapit Bledsœ, et laissez ma sœur libre de ses mouvements. Il n'est pas question que vous en fassiez votre putain et...

Il n'eut pas le loisir de finir sa phrase. Le poing de Dolph le cueillit sous le menton pour l'envoyer rouler au sol.

— Un bon conseil, Bledsœ, proféra Dolph d'une voix blanche. Ne prononcez plus jamais ce mot à propos de Belinda.

— Je vous poursuivrai en justice, aboya l'autre en se remettant péniblement debout.

Mais Dolph avait déjà tourné les talons.

Ce soir-là, il raconta tout à Belinda.

— C'est bien dans la manière d'Hector et de Desmond, observa la jeune femme d'un ton fataliste. Il m'ont poursuivie jusqu'ici pour me ramener à New York, de gré ou de force. Mais je n'irai pas. Jamais. Je t'aime, Dolph.

A ces mots, elle se jeta dans ses bras.

— Moi aussi je t'aime, ma petite colombe.

— Alors épouse-moi. Hector ne pourra plus rien contre nous.

— Si tu savais comme j'en ai envie, ma chérie. Je n'ai même pensé qu'à ça ces derniers jours. Mais tu es si jeune encore.

48

Il l'embrassa voluptueusement, la prenant dans ses bras pour la soulever du sol. La chaleur de sa peau embrasa la jeune femme. Le désir affleurait toujours en elle, juste sous la surface. Il grandit entre eux comme une flamme.

Tandis que les lèvres masculines couraient sur ses épaules, Belinda laissa choir à ses pieds sa fine robe de popeline.

Dolph se déshabilla à son tour sans se détacher de sa bouche pulpeuse. Il glissa vers ses seins, les caressant du visage tout en fouillant des doigts le triangle de boucles blondes cachant au cœur des cuisses le trésor convoité.

— Belinda, mon amour, susurra-t-il.

— Dolph, mon Dolph, gémit-elle, toute vibrante des gammes qu'il jouait en elle comme sur les cordes d'un violon.

Il la retint lorsqu'elle voulut faire de même.

— Je brûle déja trop fort, murmura-t-il.

Ils se reprirent les lèvres avec avidité. Toute frissonnante sous sa langue, Belinda plia comme un roseau.

— J'ai envie de toi, lui souffla-t-elle au creux de l'oreille.

— Je t'aime, Belinda.

Il la souleva dans ses bras puis la laissa glisser contre lui jusqu'à ce qu'elle s'ajustât sur son désir. La jeune femme suffoqua, s'ouvrant à sa venue.

Ils se prirent debout, soudés dans un élan sauvage qui leur parut pouvoir durer jusqu'à la fin des temps.

Le jour où le scandale éclata dans la presse à sensation de France et d'Angleterre, Belinda comprit que la carrière de Dolph allait s'en trouver compromise, peut-être même définitivement.

Lui n'était pas du même avis et s'employa à la rassurer.

La jeune femme se rappelait toutes leurs conversations à propos de ses rôles, de ses choix et de tous ses espoirs. Dolph ne vivait que pour son métier. Il fallait voir la lueur passionnée qui allumait son regard quand il en discutait. Rien ne justifiait que tout cela fût remis en cause par sa vie privée, mais le public et le milieu du cinéma étaient imprévisibles et capricieux. On pouvait briller tel un astre au ciel de la notoriété un matin et sombrer le même soir dans le déclin et l'anonymat le plus total.

Rongeant son frein, Belinda envisageait tous les cas de figure possibles. Chaque parution d'article, plus mensonger que le précédent, la déprimait davantage.

DOLPH WAKEFIELD, STAR MONTANTE DU CINÉMA AMÉRICAIN, DÉTOURNE UNE MINEURE POUR EN FAIRE SA LOLITA PERSONNELLE.

— Je n'ai rien d'une Lolita, lança-t-elle à Dolph au bout d'une semaine d'articles à répétition. Je me suis toujours assumée. Je règle mes factures moi-même et je ne suis pas mineure. Pourquoi ne disent-ils pas cela aussi ?

Désespérée, elle s'enfouit le visage contre sa poitrine.

— Calme-toi. Cette rumeur mourra d'elle-même, j'en suis certain, fit Dolph pour la rassurer. Nous serons aux États-Unis dans quelques jours et tout ça sera oublié.

— Tu as raison. Partons aussi vite que possible, répondit-elle avec espoir.

Elle se blottit dans ses bras. Elle s'y sentait protégée d'un monde aussi blessant ainsi que d'Hector et de ses manipulations perverses. Dolph l'aimait. Elle l'aimait tout autant. Ils allaient se marier. Ce serait la plus belle vie du monde.

Rien n'aurait pu l'enlever à l'amour de Dolph... à part la visite que lui fit Hector le lendemain.

Ce dernier ne s'embarrassa pas de formules de politesse.

— Penses-tu vraiment pouvoir vivre indéfiniment comme une irresponsable? grinça-t-il. Tu ne toucheras pas ton héritage avant deux ans, comme le stipule le testament de tes parents. En tant que tuteur, je peux saisir le tribunal pour t'obliger à cesser ton errance et revenir à la maison.

— Chaque fois que tu ouvres la bouche, Hector, c'est pour parler d'argent. Tu as toujours essayé de me voler ma pension. Mais tu ne l'auras jamais. Quant à l'argent de l'assurance et au reste de mon héritage, ils sont bien à l'abri de tes griffes, lui assena la jeune femme avec un certain plaisir.

— Si j'ai contacté Brooks, ce n'était que pour lui demander un prêt destiné à couvrir un investissement que je prévois pour nous deux. Car tu n'oublies pas, bien sûr, que tu vas m'épouser.

— Je ne veux ni mariage, ni investissement, ni rien. Je refuse même d'en discuter, martela la jeune fille. Je suis assez grande pour savoir ce que je veux et l'obtenir. Je reste avec Dolph.

— Pour ruiner sa carrière? questionna Hector, l'œil torve.

— C'est complètement faux. Il me l'a dit lui-même.

— Vraiment? On raconte pourtant qu'il a perdu

le rôle-titre de *L'Amour fou* et que l'on a choisi quelqu'un d'autre pour jouer *Ouragan*. Tu ne savais pas?

— Tu mens.

— Pas du tout. Appelle son agent si tu veux savoir. Ou mieux encore, lis les dernières nouvelles, dit-il en lui tendant un magazine italien. Ton petit ami dégringole, ma pauvre Belinda.

Bien qu'elle ne pût traduire exactement les commentaires faits en langue étrangère, la jeune fille comprit sans trop de mal qu'ils confirmaient les dires d'Hector.

Le soir même, elle montra à Dolph les magazines laissés par son demi-frère au terme de sa visite. Ce dernier, haussant les épaules, les jeta à la poubelle.

— Ces rôles étaient recherchés par bien d'autres acteurs de talent, Belinda. Des gens qui en veulent et qui travaillent dur. Nous étions tous en concurrence sur ces films. Voilà pourquoi je n'ai pas décroché ces contrats. Rien à voir avec ce que racontent ces journaux infâmes.

Belinda ne demandait qu'à le croire, mais les mots d'Hector hantaient son esprit. Aussi, lorsqu'elle tomba sur un journal américain qui traînait dans la boue le travail et la réputation de Dolph, la jeune fille appela son demi-frère au téléphone.

— Tu as raison de vouloir sortir enfin de cette impasse, commenta celui-ci d'un ton paternaliste.

— Reste en dehors de tout ça, Hector. Je ne veux en aucun cas te retrouver sur mon chemin.

— Mais...

— Tu m'as bien entendue. Je me retournerai contre toi s'il le faut et je ne te laisserai aucune chance. Adieu.

La nuit qui suivit, elle embrassa et caressa Dolph avec une avidité fiévreuse et redoublée.

– J'adore ça, ma chérie, lui dit-il sans plus cacher sa joie. Je t'aime tellement.

– Je suis tienne pour toujours, répondit-elle à voix basse et empreinte de gravité, avant de porter sa bouche le long du corps viril jusqu'à son ventre au désir tendu comme un arc.

Là, elle lui donna la caresse la plus chaude et la plus profonde qu'il pût espérer ou même imaginer. Emportés ensuite sur les ailes de la passion, ils se fondirent l'un dans l'autre comme jamais.

Au matin, lorsque Dolph dut partir pour un dernier raccord de séquence, elle le couvrait encore de baisers incessants. Charmé d'être l'objet d'une telle fièvre amoureuse, Dolph plongea dans le sien son regard chaud et franc.

– Nous partons en Californie dans deux jours, ma chérie. Là-bas, nous aurons tout le temps pour nous seuls.

– Au revoir, Dolph. Passe une bonne journée.

Quelle banale réponse pour une séparation aussi terrible et déchirante, songea-t-elle en regardant la voiture s'éloigner.

S'armant de tout son courage, Belinda rédigea un mot à l'intention de Dolph et le laissa sur l'oreiller. Sans même dire adieu à Lorette, elle attendit que celle-ci fût partie au marché pour quitter à son tour la villa, empruntant une bicyclette pour descendre au village. De là, elle sauta dans un bus qui l'emmena à l'aéroport de Nice. La jeune fille y acheta un billet d'avion qu'elle n'utilisa pas. Ayant gagné les toilettes, elle cacha ses cheveux sous une casquette de garçon, enfila un jean délavé et une chemise de coton d'Oxford puis se rendit à la gare SNCF de la ville.

Une fois sur place, Belinda réserva une place dans le TGV pour Paris sous une fausse identité de jeune homme.

4

L'ÉTÉ cédait la place aux premiers jours d'automne. L'air de Manhattan avait un petit fond de fraîcheur, bien qu'il fît encore relativement doux. Dolph descendait à pied la septième avenue vers le restaurant de Greenwich Village où son agent lui avait fixé rendez-vous. Il serait légèrement en retard au petit déjeuner d'affaires prévu ce matin-là, mais l'air vif dispersait sa morosité de la nuit. Après une soirée passée à lire des scripts, l'image de Belinda était encore venue visiter ses rêves, comme tant de fois depuis dix ans qu'il ne l'avait vue. Dieu merci, cela arrivait de moins en moins souvent. C'était toujours une déchirure, particulièrement malvenue au moment où il allait rencontrer les nouveaux financiers du film qu'il devait réaliser.

Son agent faisait déjà les cent pas sur le trottoir quand Dolph parvint en vue du restaurant.

— Salut, William, lui lança-t-il joyeusement.

— Ça fait des heures que je t'attends, répondit ce dernier avec un regard de reproche. Les financiers ont déplacé le rendez-vous. On doit les retrouver à leurs bureaux.

— Et puis quoi encore? s'offusqua Dolph. Ces gens-là se prennent pour qui?

– N'en fais pas toute une histoire, répliqua William en l'entraînant vers sa voiture qui les attendait non loin de là.

– Tu sais bien que je déteste qu'on me promène de droite et de gauche. Compte sur moi pour le leur faire savoir.

William préféra ne pas répondre, et le chauffeur les déposa bientôt devant l'un de ces buildings qui dressent vers le ciel leurs luisantes parois de verre et d'acier.

– Ils occupent les trois derniers étages, commenta William tandis qu'ils traversaient le hall en direction des ascenseurs.

Là, il sentit que Dolph hésitait, l'air contrarié.

– Ecoute, reprit-il. Je sais bien que tu es sur les nerfs à force d'essayer de monter le budget de ton film, mais le rendez-vous d'aujourd'hui est le meilleur contact qui soit. Après tout, c'est toi qui m'as demandé d'organiser cette rencontre.

– C'est vrai, soupira Dolph. Allons-y.

En quelques minutes, l'ascenseur les amena jusqu'à la direction de la Linda Cosmetics International. Toujours aussi nerveux, Dolph donna son nom à la réceptionniste qui manqua d'abord s'évanouir de le voir devant elle puis se ressaisit pour aller ouvrir une porte à double battant marquée « Direction ».

– Ah, elle est là, s'écria William en passant devant Dolph pour s'avancer vers une femme dont la silhouette se découpait en contre-jour sur la grande baie vitrée du bureau. Linda, je vous présente Dolph Wakefield. Dolph, voici Linda, de la société Linda Cosmetics International.

La femme se détacha de la fenêtre et Dolph put enfin la reconnaître. Belinda! Il fut paralysé par la foudre. Elle occupait ses pensées depuis tant d'années qu'il crut à une hallucination.

– Dolph? s'inquiéta William. Tout va bien?

– Tout à fait bien, répondit ce dernier à qui la jeune femme renvoyait un regard calme.

Belinda s'attendait à le voir. Depuis le jour où elle l'avait quitté, elle avait suivi toute sa carrière, lui écrivant des centaines de lettres qu'elle ne lui avait jamais envoyées. Mais bien qu'elle se fût préparée à cet instant, la jeune femme fut prise de court par la déflagration qui se produisit en elle lorsqu'il la regarda. Dolph avait gardé toute la puissance de son charme. La peau moite et le cœur emballé, Belinda faisait néanmoins tous ses efforts pour garder son contrôle.

– Dis quelque chose, Dolph, murmura William dont le regard étonné allait de l'un à l'autre.

– Oui, dis quelque chose, répéta-t-elle avec un sourire qui se voulait professionnel. Il y a bien longtemps, n'est-ce pas?

– Vous vous connaissez? s'exclama William, surpris.

– Mademoiselle Belinda Bronsky et moi nous sommes connus il y a des années, quand elle n'était encore... qu'une enfant, expliqua Dolph avec une pointe d'ironie dans la voix.

Il n'en croyait pas ses yeux. Pourtant c'était bien la petite peste de Nice là devant lui, métamorphosée en cette superbe créature soyeuse et sophistiquée.

– On n'est plus une enfant à dix-neuf ans, Dolph, répondit la jeune femme. Et je m'appelle Linda désormais.

Elle se sentait vaciller. Dolph l'avait désorientée dès son entrée mais il en était de même pour lui, elle en était sûre. Il était ensorcelant. Belinda se planta les ongles dans les paumes pour sauver les apparences.

– Nous nous réunirons dans la salle à côté, indiqua-t-elle à l'intention de William en désignant une porte.

Ce dernier approuva et sortit, les laissant enfin seuls.

Il y eut un long silence, pendant lequel ils se contemplèrent l'un l'autre comme deux combattants avant de s'affronter.

– Comment vas-tu, Dolph? murmura enfin Belinda.

Il lui paraissait plus étincelant que jamais. Si beau, si fort, avec toute cette puissance de fauve savamment contrôlée.

– Le mieux du monde, répliqua-t-il en détaillant sur elle la même finesse de silhouette qu'il avait gardée dans son souvenir.

Belinda avait conservé son visage de gamine effrontée. Mais là où il y avait eu jadis insouciance, rire et volupté ne semblaient subsister que distance et retenue. Belinda était restée bien sûr exceptionnellement belle. Sa douceur avait-elle toutefois disparu au profit de l'attitude raide et défensive qu'elle affichait?

– Ainsi donc, c'est toi la société Linda Cosmetics?

– Oui. Moi seule et sans mon demi-frère... pour l'essentiel.

– Comment y es-tu arrivée?

– A force de ténacité, répondit-elle dans un sourire qui lui creusa brièvement les mêmes fossettes que par le passé, brûlant Dolph du feu douloureux du souvenir.

– Sois donc le bienvenu au quartier général de notre société, reprit la jeune femme.

– Et quel quartier général! Franchement, je suis très impressionné. C'était d'ailleurs le but du changement de rendez-vous, j'imagine?

Il la toisait sans vergogne de la tête aux pieds, secrètement satisfait de constater qu'elle rougissait sous son examen.

— Nous faisons toujours en sorte d'impressionner nos clients. Après tout, tu vas travailler pour nous, n'est-ce pas? fit la jeune femme, irritée de le voir aussi prétentieux.

— Je n'avais pas la moindre idée que j'allais signer avec toi, Belinda. Pourquoi t'intéresses-tu à mon film *Vent du sud*?

— Notre société est connue pour la justesse de son flair en matière d'investissements, fit-elle d'une voix sèche.

— Tant mieux. J'ai toujours apprécié les gagnants, répondit Dolph du tac au tac sans se départir de son ironie.

— Dans ce cas, nous ferons du bon travail ensemble. Rejoignons les autres maintenant, si tu veux bien.

Dolph lui emboîta le pas vers la salle de réunions. La soie de sa robe soulignait les courbes voluptueuses du corps de Belinda. Celle-ci frissonnait de sentir son regard dans son dos.

Dans la salle de réunions, les présentations furent promptement faites entre leurs avocats respectifs. Comme elle allait se placer en bout de table, la jeune femme perçut encore son souffle derrière elle et c'est Dolph lui-même qui lui avança une chaise pour s'asseoir.

On se mit à «petit déjeuner» tout en parlant affaires. Dolph avala deux croissants et trois tasses de café noir tout en répondant aux questions qu'on voulut bien lui poser. Mais même s'il regardait les autres, il ne voyait que Belinda qui, pour sa part, prenait soin de s'adresser à tout le monde excepté lui.

Deux heures plus tard, la réunion de travail prit fin. Tandis que chacun se levait pour partir sur une dernière poignée de mains, tous deux restèrent assis l'un face à l'autre sans se quitter des yeux. William s'approcha de Dolph en hésitant.

— Tu veux que je te dépose quelque part? proposa-t-il.

— Non merci. Je préfère marcher. L'air frais me fera du bien.

William quitta la salle et ils se retrouvèrent à nouveau seuls. Dolph se leva pour aller claquer violemment la porte restée ouverte puis revint se placer face à Belinda. Un silence tendu flotta entre eux quelques secondes, puis il frappa brusquement la table du poing.

— Pourquoi? cria-t-il.

Belinda savait parfaitement ce qu'il voulait dire.

— Tu étais attaqué de toutes parts par la presse à scandale, expliqua-t-elle. Tu sais tout le mal qu'elle peut faire. Ta carrière commençait tout juste et elle était encore fragile. Un seul coup pouvait la briser à tout jamais. Par ailleurs, mon demi-frère nous menaçait de procédures pénales particulièrement pénibles et j'avais besoin d'une formation qui me permette de m'assumer afin de me libérer de son emprise. Trop de choses se dressaient contre nous, Dolph.

Elle le regardait de son regard clair et volontaire. Après ces années passées à recueillir la moindre photo de lui, à voir et revoir chacun de ses films, à lutter sans cesse contre le désir de lui téléphoner, elle se retrouvait enfin devant lui et en éprouvait une sorte de vertige.

— Je vois, répliqua Dolph d'une voix neutre. Tu n'as pas pensé un seul instant que je pouvais tout à fait gérer ma carrière, nous débarrasser de ton demi-frère et me charger de tes études?

Il bouillait de fureur. Comment avait-elle pu trancher ainsi leur histoire, toute seule et de façon aussi arbitraire?

— Tout ça n'était pas ton affaire, lança Belinda, s'irritant à son tour de son attitude autoritaire et exigeante. D'autre part, tu avais beaucoup plus à perdre que moi dans cette affaire.

— Et j'ai énormément perdu, fit-il d'un ton amer.

— Moi aussi, murmura la jeune femme.

Ils se mesurèrent du regard avec toute la peine et les regrets accumulés depuis si longtemps. Dans la vibration du silence qui les environnait, chaque parole prononcée pouvait exploser comme une bombe, chaque mot pouvait dégoupiller une grenade.

— Ceci étant, j'ai beaucoup gagné par ailleurs, reprit Belinda en s'éclaircissant la voix. Tout comme toi.

— Tu as toujours les bonnes réponses, hein? fit remarquer Dolph en serrant les poings. Nous devions prendre cette décision ensemble. En la prenant seule, tu as disposé de moi sans même me consulter. T'en rends-tu compte?

— Nous y avons tous deux gagné une nouvelle vie.

Dolph laissa courir son regard sur elle. Le brin de jeune fille d'autrefois avait éclos en cette femme sophistiquée aux formes généreuses et tentatrices. Une onde de désir le traversa soudain, comme la lame d'un couteau lui fouillant la chair.

— Il fut un temps où je te faisais fondre d'un regard, martela Dolph. Aujourd'hui, tu restes de marbre.

– Il m'a fallu faire un long chemin, je te l'ai dit, répliqua la jeune femme en s'efforçant d'ignorer la piqûre que lui infligeait sa remarque.

Lui au contraire n'avait pas changé d'un pouce. Les angles du visage viril étaient bien sûr plus marqués et plus définis par la maturité. Ils n'en avaient que plus de force. Dolph était un redoutable séducteur. Le pouls de Belinda s'accéléra.

– Qu'en penses-tu? fit-il ironiquement en tournant sur lui-même pour lui montrer qu'il devinait ses moindres pensées.

– Je pense ce que penserait toute femme digne de ce nom. Tu n'es qu'un bourreau des cœurs.

Elle s'essayait au même ton léger qu'il savait si bien employer, mais sans véritable conviction. En se préparant à se retrouver face à lui, Belinda avait oublié qu'il était capable d'absorber tout l'air environnant, la laissant suffoquante de désir.

– De plus, ton image est un très bon support publicitaire pour les affaires de notre société, ajouta-t-elle de façon délibérément provocante pour renvoyer la balle dans son camp.

– C'est vrai. J'oubliais que c'était là le motif de notre contrat.

Dolph capta chez elle une fugitive lueur d'incertitude. La jeune femme le sentait tourner autour d'elle comme un squale attendant l'instant propice au coup de grâce.

– Ainsi donc, tu as suivi toute ma carrière? demanda-t-il.

Elle approuva lentement de la tête. Dolph retenait à peine sa colère. Elle l'avait ferré comme un vulgaire poisson au bout de sa ligne après l'avoir guetté jour après jour, année après année, pendant que lui errait aveuglément à sa recherche.

– Où étais-tu? lança-t-il d'une voix rauque.

– A Paris. Je m'étais inscrite à la Sorbonne. Au début, j'ai habité sous les toits dans une petite rue de la Rive Gauche. Puis j'ai trouvé un travail de femme de chambre dans un hôtel. Tout ça sous l'identité de Linda Bennett, nom de jeune fille de ma mère. Je me suis même teint les cheveux.

– Quoi? Toute cette mascarade pour que je ne puisse pas te retrouver?

– Oui, souffla-t-elle en baissant les paupières.

– Je t'ai cherchée dans toutes les villes d'Europe, y compris Paris, gronda Dolph d'une voix de reproche. J'ai même retrouvé ton demi-frère. Mais il ne semblait pas savoir où tu étais.

Il considéra inutile de lui préciser qu'il avait cassé la figure d'Hector à cette occasion et l'avait presque laissé pour mort.

– Tu n'aurais pas pu m'appeler au moins? ajouta-t-il.

– Je t'ai appelé... il y a six ou sept ans. Tu réalisais ton premier film à Paris. J'ai laissé un message à ton hôtel, mais tu n'as jamais répondu. On ne te l'a peut-être pas transmis. Quoi qu'il en soit, je voulais que nous soyons sur un pied d'égalité le jour où nous nous reverrions, conclut Belinda.

– Et nous le sommes aujourd'hui, c'est ce que tu veux dire?

– C'était mon souhait le plus sincère, avoua la jeune femme. Peux-tu seulement me comprendre?

– Je comprends parfaitement, rétorqua Dolph. Tu as imaginé le tableau en m'y fixant une place bien déterminée et je dois maintenant me conformer sagement à tes plans.

La seule idée d'avoir été manipulé de la sorte lui donnait envie d'envoyer son poing dans le mur. Belinda fut bouleversée de voir cette fureur noire se déguiser en sourire innocent.

– Dolph, il ne faut pas que tu..., commença-t-elle.

Mais il lui faisait déjà face de l'autre côté de la table, ramassé comme un fauve prêt à bondir.

– Oui, coupa-t-il. Tu portes tous les signes du succès. La robe, les chaussures de prix, les perles et les bijoux. C'est bien joué. La gamine des rues est bien enterrée.

– Parfaitement, rétorqua-t-elle avec défi. Et sache qu'à aucun moment je n'ai démérité pour en arriver là. Tu n'es plus toi-même le jeune acteur affamé de gloire que j'ai connu alors.

Belinda ne savait rien de Dolph, sinon ce que révélaient les journaux de ses goûts, de ses plaisirs et de ses distractions. Mais elle ne connaissait ni sa famille ni son passé. Le peu de temps qu'ils avaient partagé ensemble, ils l'avaient passé à se vouloir et à s'aimer. Aujourd'hui qu'il se tenait devant elle, la jeune femme découvrait un homme totalement différent. Son Dolph à elle avait-il complètement disparu ?

Le léger haussement de sourcils qu'elle perçut à cet instant sur son visage lui souffla que Dolph suivait une idée : ses souvenirs ne pouvaient la tromper là-dessus. Peu importait où cela pouvait les mener. L'orage semblait s'éloigner.

– A bientôt, Belinda, lança-t-il en tournant les talons et en claquant la porte derrière lui.

La jeune femme resta songeuse et déroutée dans le silence revenu. Puis elle regagna son bureau et essaya de se concentrer sur son travail. Elle y renonça à midi et informa sa secrétaire qu'elle allait déjeuner, bien qu'elle n'eût pas le moindre appétit.

Sortant sur l'avenue, Belinda dirigea ses pas vers le parc voisin. Elle déambulait parmi la foule des passants sans les voir, plongée dans ses pensées la ramenant sans cesse à Dolph.

L'air du dehors lui avait fait du bien. Parvenue près du parc, la jeune femme ralentit sa marche et s'attarda dans une flaque de soleil à la hauteur d'un marchand de hot-dogs.

– Avec ta permission, fit la voix derrière elle.

Belinda se retourna : Dolph était debout devant elle, lui tendant l'un des hot-dogs qu'il avait à la main.

– Tu m'as suivie? questionna-t-elle d'un œil soupçonneux.

– Bien sûr. On trouve un banc pour s'asseoir?

Ils s'installèrent près d'une piste cyclable et mangèrent en silence. Dolph lui tendit ensuite un verre de jus de fruit puis lui demanda si elle voulait du café.

– Non merci, répondit-elle. Le jus d'orange m'a suffi.

Nouveau silence.

– Eh bien, finit par articuler Belinda, je crois qu'il faut que j'y aille. J'ai déjà été plus longue que prévu.

– Je vais te raccompagner jusqu'à ton bureau, annonça Dolph en jetant leurs papiers et gobelets dans une corbeille avant de lui prendre le bras de la façon la plus naturelle qui soit.

– Puis-je t'inviter à dîner ce soir? proposa-t-il bientôt, désireux de ne pas la laisser filer une nouvelle fois sans avoir pu comprendre les myriades de feux qu'elle allumait en lui.

– Ce serait plutôt à moi de t'inviter à la maison, répondit Belinda. Je suis sûre que tu adorerais la cuisine. Tu sais que j'ai embauché Lorette et l'ai amenée ici à New York?

Elle parlait vite pour ramener à eux le bon

vieux temps de leur rencontre et de leurs premières complicités.

– Lorette? Mais pourquoi? fit-il abasourdi.

– Et pourquoi pas?

Dolph à sa table! C'était fou et absurde à la fois.
Elle qui s'était toujours imaginé des retrouvailles
amicales et polies avec lui, voilà qu'elle se mettait
déjà à brûler les étapes.

– D'accord, nous dînerons chez toi la prochaine fois, accepta Dolph la pressant un peu plus
fort contre lui, de sorte que leurs hanches se tou-
chaient au gré de leur marche. Dis-moi, tu n'as
pas mal dans ces escarpins à hauts talons? Pour
autant que je m'en souvienne, tu préférais toujours marcher pieds nus.

– Je préfère toujours. Mais les talons ne me
blessent plus. J'ai maintenant les moyens d'en
acheter qui me vont comme des espadrilles tout
en gardant leur beauté fatale, expliqua-t-elle avec
un petit air de malice qui le fit sourire.

C'était leur premier retour de complicité. La
jeune femme se jura de s'en souvenir toute sa vie.

Dolph se retrouvait sous l'impact de son
charme. Il laissa de nouveau son regard glisser le
long des jambes fuselées. Il aurait voulu retourner jusqu'au banc pour lui enlever ses escarpins
et baiser ces pieds dont il se rappelait le contact
sensuel et soyeux.

L'arrachant d'un coup aux souvenirs, sa rancœur et ses regrets reprirent sur lui leur empire.
Belinda le sentit changer d'humeur et devina
qu'il songeait à tout ce temps où elle avait connu
chacun de ses actes et de ses déplacements sans
qu'il s'en doutât une seule seconde. Elle comprit
que cela le rongeait comme l'eût fait un acide.

La jeune femme s'effrayait à l'idée qu'il pût la

rejeter. Elle y avait maintes fois pensé avant d'être sûre de pouvoir faire face à cette hypothèse. Mais son premier regard avait pulvérisé ses certitudes. Le perdre une deuxième fois serait un coup mortel.

— Je dois me dépêcher, dit-elle en accélérant le pas.

Dolph était décidé à ne pas la laisser filer une nouvelle fois. Qu'adviendrait-il de lui si elle disparaissait encore?

C'est à ce moment précis que le plan naquit dans son esprit. Lui aussi pouvait se mettre au double jeu après tout.

— Moi aussi, répondit-il vivement. J'ai un script à lire.

Pressentant qu'il avait une idée derrière la tête, Belinda se sentit soudain vulnérable. Que manigançait-il? Et pourquoi?

— Qu'est-ce qui t'a conduite dans le milieu du cinéma? demanda brusquement Dolph quand ils furent devant le building.

— Une offre que je ne pouvais pas refuser.

Lorsqu'elle avait eu assez confiance en elle pour se savoir prête à revoir Dolph, la jeune femme s'était mise en quête du meilleur rôle qui puisse lui convenir, cela dans l'intention de financer le film. Celui pour lequel ils venaient de signer, *Vent du sud*, était le second qu'elle avait trouvé.

— Nous avons d'abord voulu acheter *L'Homme de pierre*, mais c'était trop tard, expliqua-t-elle. Tu méritais vraiment l'Oscar du meilleur acteur que tu as reçu pour ce film. On t'appelle d'ailleurs comme ça dans les journaux maintenant.

— Tu sais bien des choses sur moi, Belinda.

— C'est que tu es devenu très célèbre.

– Tu t'occupes aussi de cette société Delinde qui voulait prendre des parts dans *L'Homme de pierre*?

– Oui.

– Tu as décidément des tas de noms, remarqua Dolph.

– C'était celui de mon associé. L'homme le plus merveilleux que j'aie jamais rencontré.

– Vraiment? Je suis content pour toi, s'entendit-il répondre.

En fait, la jalousie lui mordait les entrailles de voir ses yeux s'embuer de larmes. Elle avait aimé cet homme.

– Je suis sûr que tu l'aurais apprécié. Il était si particulier, poursuivit Belinda avec mélancolie.

La mort du professeur Delinde l'avait durement frappée au moment même où leur société prenait enfin de l'ampleur. Le vieil homme généreux et doux avait été un second père pour elle et lui manquait encore terriblement.

Dolph se pencha impulsivement vers elle pour lui poser un baiser sur le coin de la bouche.

– Au nom du bon vieux temps, murmura-t-il d'une voix profonde. Je repasse te prendre à six heures pour t'amener chez toi.

Surprise et incapable de prononcer un mot, Belinda hocha la tête en signe d'assentiment. Dolph s'éloigna. Les lèvres de la jeune femme restaient brûlantes d'avoir touché les siennes. Il l'avait embrassée! Elle dut se mordre jusqu'au sang pour ne pas se mettre à danser de joie sur le trottoir.

Dolph marchait dans les rues. Le plan qui s'était formé un peu plus tôt dans son esprit ne le quittait plus. Belinda n'allait pas se dissoudre une nouvelle fois dans les airs. Il allait prendre toutes les mesures nécessaires pour cela.

D'une cabine téléphonique du coin de l'avenue, il appela la secrétaire de William pour obtenir un numéro, qu'il composa aussitôt après. Dès qu'il fut en ligne, il donna des indications en quelques mots succints puis raccrocha le combiné. La première phase de son plan venait d'être lancée.

Il reprit sa marche sans voir les passants ni entendre le trafic et son concert de klaxons. Une seule idée fixait toutes ses pensées : Belinda ne lui échapperait plus.

Belinda! La gamine qui avait un jour levé vers lui des yeux confiants était bien loin. C'était maintenant une femme sûre d'elle et de sa force, qui n'avait besoin de personne. Elle avait fait son chemin. Et ce Delinde? Elle avait aimé un autre homme, c'était certain. Cela aussi torturait Dolph.

Il tournait et retournait son plan dans tous les sens comme une obsession. A la fin, il se mit à courir. Ce n'est qu'une fois parvenu dans son quartier, en nage, hors d'haleine et se traitant de tous les noms, qu'il reprit enfin le contrôle de lui-même. A tout le moins, il s'était fixé un but et c'est lui désormais qui donnerait les cartes.

Obliquant brusquement dans une petite rue à droite, il rejoignit le club de remise en forme qu'il fréquentait souvent. Là, il enfila son maillot de bain dans son box et plongea dans la piscine, alignant longueur après longueur sur plus de deux kilomètres avant de réaliser que cela n'avait pas chassé pour autant de son esprit l'image sensuelle du corps de Belinda.

Il rentra chez lui avec l'espoir que le travail cérébral réussirait là où l'exercice physique avait échoué et se plongea dans l'étude d'un nouveau script fourni par William le matin même.

Tout comme *Vent du sud*, ce scénario-là était aussi acheté par la Linda Cosmetics International et le rôle lui parut taillé sur mesure. Il eût été insensé de le refuser dans la mesure où Belinda lui avait promis le contrôle complet du script et même la réalisation du film s'il le désirait.

Il relut le script deux fois pour y déceler des faiblesses, mais le trouva meilleur à chaque analyse. Belinda le manipulait encore. Il lui faudrait renforcer son propre plan.

Il décrocha le téléphone dès la première sonnerie.

– Oui, vous pouvez l'imprimer, répondit-il à la femme excitée qui parlait à l'autre bout du fil. Tout est exact. Au revoir.

« Qu'en pensera Belinda ? » songea Dolph en raccrochant. Il serait vite fixé. Ce serait dans les journaux du lendemain matin.

Il fut dans le hall de son building dès six heures moins dix, arpentant le sol de marbre en attendant qu'elle sorte. C'était un bâtiment neuf et superbe. Belinda louait-elle seulement les étages supérieurs ou possédait-elle tout l'ensemble ? Et si elle avait pu bâtir une entreprise internationale en dix ans, était-ce seule ou avec l'aide de ce Delinde ?

A six heures sonnantes, les portes d'ascenseur s'ouvrirent et la jeune femme apparut. Dolph s'avança vers elle, ébloui par sa beauté. La contempler était en soi l'une des sensations les plus érotiques de sa vie. Elle était restée fraîche et intacte à travers les années ; elle était tout à la fois exotique et sophistiquée, vulnérable et forte, juvénile et mature, parvenant à concilier tous ces contraires dans une harmonie qui la rendait unique.

Dolph comprit à cet instant que son amour pour Belinda, qu'il avait cru définitivement mort et enterré, n'avait fait qu'hiberner sous le froid de sa solitude pour se réveiller au premier contact de la chaude lumière qu'elle portait en elle.

La jeune femme possédait de toute évidence une garde-robe complète à son bureau puisqu'elle apparaissait déja prête à sortir, ayant troqué son tailleur professionnel contre une robe du soir lamée en satin pourpre qui rehaussait le turquoise de ses grands yeux et la finesse de son teint.

— Nous y voici, fit Dolph en l'accueillant d'un baisemain.

Son geste, autant que sa voix grave et profonde, fit frissonner de la tête aux pieds Belinda qui n'en laissa rien paraître.

— Où allons-nous? demanda-t-elle ingénument.

— Je pensais que nous pourrions d'abord trouver quelque endroit amusant qui nous mette en appétit pour dîner ensuite.

Il était spendide dans son smoking de soie bleu nuit dont la coupe parfaite accusait sa haute taille. La jeune femme en resta sidérée et s'absorba dans l'examen de sa robe pour se donner contenance. Elle était sûre d'elle-même comme de l'univers quand elle l'avait connu à Nice. Les choses étaient bien différentes aujourd'hui : elle perdait désormais toute confiance en elle au contact de Dolph comme s'il l'eût dépouillée de ses certitudes en un rien de temps par le pouvoir de sa seule présence.

— Excuse-moi? fit la jeune femme en se rendant compte qu'il venait de lui dire quelque chose.

— Je me demandais pourquoi tu examinais ta robe d'un air aussi inquiet, dit-il. Tu es absolument ravissante.

Sa voix caressante la fit à nouveau frissonner.

— Tu parlais de faire quelque chose qui nous ouvre l'appétit, reprit-elle. Nous ne sommes pas vraiment équipés pour aller courir dans le parc.

— Non. Mais nous sommes parfaits pour aller danser.

Danser? Belinda se sentit toute chose. Détournant le regard de la bouche virile et sensuelle, elle aperçut à travers les vitres une contractuelle en train de verbaliser un coupé Alfa Roméo.

— C'est ta voiture qui prend un procès-verbal?

— Bon sang! Dépêchons-nous, réagit Dolph en l'entraînant vers la sortie.

La contractuelle les vit arriver d'un œil calme et implacable.

— Stationnement en zone interdite, lança-t-elle en verdict.

— Nous partions à l'instant, répliqua Dolph en souriant.

L'expression de la fonctionnaire changea instantanément à sa vue. Elle resta bouche ouverte et yeux écarquillés, en laissant tomber son stylo. Dolph leur faisait toujours le même effet.

— Mais vous... vous... vous êtes Dolph Wakefield, balbutia la femme. Ma sœur crèvera de jalousie quand je lui raconterai.

Dolph ouvrit la portière devant Belinda puis ramassa le stylo de la fonctionnaire pour le lui tendre galamment.

— Je peux vous demander un autographe? demanda-t-elle.

— Bien sûr. Où donc?

— Ici, sur mon carnet de contraventions. A côté de mon nom.

Dolph se retourna en entendant klaxonner. Sa voiture obstruait l'une des voies et un autre conducteur s'impatientait.

– Circulez! lui cria la contractuelle d'un geste impérieux avant de revenir à Dolph en souriant. Ne faites pas attention à lui. Signez, je vous en prie.

Ce dernier s'exécuta tandis que le conducteur contournait la voiture avec une grimace de contrariété.

– Voilà, conclut Dolph en lui rendant son stylo. Merci de votre compréhension.

– Mais non, répondit la femme. C'est moi qui vous remercie pour l'autographe. Voici votre contravention.

Elle tourna les talons et s'éloigna en le laissant planté là, son procès-verbal à la main. Les coups de klaxon reprirent et il sauta dans sa voiture où Belinda hurlait de rire.

– Très drôle, maugréa Dolph en la guignant du coin de l'œil.

La gaieté spontanée qui brillait dans ses yeux l'enchantait en lui rappelant des souvenirs chers à son cœur. Ils avaient tant ri ensemble autrefois.

– Pourquoi n'es-tu pas venue à mon secours? fit-il en démarrant pour se faufiler dans le flot des voitures.

– Moi? M'immiscer dans ta danse de séduction autour d'une fonctionnaire de police? Jamais de la vie! rétorqua la jeune femme avec un rire de gorge qui le reprit instantanément sous le charme. Les moments privilégiés sont trop rares en ce monde et je viens d'assister au plus beau d'entre tous : Dolph Wakefield en train de se faire damer le pion!

– Tu n'es qu'une sorcière, Belinda, fit-il en riant avec elle.

Le temps de quelques secondes, les dix années écoulées n'existèrent plus. Le temps suspendit son vol pour les retenir ensemble dans ses mailles dorées.

Retenant leur souffle, tous deux se sourirent. Puis les eaux de l'oubli se refermèrent et ce fut fini. Le temps reprit son cours et le présent ses droits.

Belinda venait de tournoyer au cœur de sa jeunesse. Elle n'avait plus ri ainsi depuis bien longtemps. C'en était poignant.

— Mon pauvre chou, ta dignité doit vibrer sous l'outrage, fit-elle d'un ton léger pour cacher le coup d'émotion.

— Oui. Et personne ne sait en rire aussi joliment que toi, rétorqua Dolph en lui prenant doucement la main.

Belinda vibrait de cette liberté retrouvée à ses côtés. Comment avait-elle pu vivre sans cela? Pourquoi n'avait-elle pas devancé des instants si précieux? Elle prit peur à cette idée.

— A mon avis, tu n'as pas bien identifié cette contractuelle. Elle n'en croyait pas ses yeux, mais rien n'aurait pu la détourner de son travail. Elle doit faire vivre toute une famille avec ça.

— Peu importe. Elle m'a bien eu, admit Dolph en lui posant un baiser sur la paume. Et moi qui croyais que toi seule en étais capable...

— Passe en troisième, réagit Belinda d'une petite voix rapide.

— C'est une boîte de vitesses automatique, fit-il remarquer. Cela t'ennuie vraiment que je te tienne la main?

— Bien sûr... que non, mais la sécurité avant tout et...

— N'aie pas peur, intervint-il d'une voix douce.

Il ne pouvait et ne voulait plus la lâcher parce qu'elle faisait fondre en lui l'iceberg. De peur aussi qu'elle ne lui échappât une nouvelle fois. Renonçant à dégager sa main, Belinda chercha quelque chose à dire.

— Tu n'as rencontré que le succès toutes ces années, fit-elle observer. Tu aimes toujours autant ton métier?

— Oui. Mais parle-moi de toi. Comment t'es-tu retrouvée dans l'industrie cosmétique?

— Je t'ai parlé de mon associé, André Delinde. Un chimiste que j'ai connu durant mes études à la Sorbonne. Il fabriquait depuis toujours des pommades antiallergiques pour soigner sa femme. Lorsqu'elle mourut, il poursuivit ses recherches et m'intéressa à son travail.

— Quelqu'un d'important pour toi, n'est-ce pas? murmura Dolph en percevant la tristesse contenue dans sa voix.

— Très important. Il mourut lui aussi juste au moment où nos affaires démarraient enfin, conclut-elle avec nostalgie.

Dolph ne put retenir la question qui lui brûlait les lèvres.

— Tu vivais avec lui?

— André était mon professeur, mon ami et mon associé, répondit Belinda. Il avait soixante-dix-huit ans le jour de sa mort.

— Pardonne-moi, ce n'est pas mon affaire, s'excusa-t-il avec un sentiment d'immense soulagement. Je n'aurais même pas dû te poser cette question.

— C'est exact, tu n'aurais pas dû. Est-ce que je me mêle de toutes tes aventures féminines qui s'étalent dans les journaux?

— Ce ne sont que des fables pour la plupart, rétorqua Dolph piqué par son attaque. Et si j'avais possédé sur toi seulement le quart des informations que tu avais sur moi, je n'aurais même pas eu besoin de te poser cette question.

— C'est la deuxième fois que tu me sers ça aujourd'hui, lança la jeune femme en se tournant vers le pare-brise.

— Si c'est le cas, je n'ai pas peur de le répéter.

— Vraiment? Si tu étais si désireux de me retrouver, pourquoi n'as-tu pas répondu au message que je t'avais laissé à ton hôtel pendant que tu tournais *La Débâcle* à Paris?

— Je n'ai jamais eu ce message, je te le jure. Et c'était il y a sept ans, murmura-t-il.

— C'est vrai, répondit-elle dans un souffle.

La voiture arrivait à destination, au grand regret de Dolph. L'intimité retrouvée auprès de Belinda dans l'habitacle et le plaisir de pouvoir respirer son parfum l'avaient envoûté. Il obliqua dans un parking semi-circulaire et stoppa devant une luxueuse façade que la jeune femme reconnut d'un air surpris.

— Mais c'est *Le Pilori*? On ne pourra jamais rentrer. C'est ce qu'on fait de plus privé comme club.

— En tant que descendant de sympathisants progressistes lors de la révolution, j'y ai mes entrées, la rassura Dolph.

— Tu plaisantes?

— Pas du tout. La moitié conservatrice de ma famille est retournée en Angleterre. Nous étions des deux côtés.

— Ça ne te ressemblerait pas un peu, par hasard?

— C'est parfois la seule manière pour un homme d'obtenir ce qu'il veut, Belinda, lui souffla-t-il à l'oreille en lui faisant passer l'entrée du club.

– Toujours rancunier, Dolph? Tu étais bien plus mordant à l'époque quand tu te mettais en colère.

– En colère? lui susurra-t-il dans le cou. Mais ma chérie, je suis fou de rage contre toi... et le maître d'hôtel attend.

– Pas question de dîner avec quelqu'un qui passe son temps à me mettre en boîte, bouda-t-elle en lui tournant le dos.

– Et on dit que c'est moi qui suis en colère? ironisa Dolph en la poussant vers le maître d'hôtel. Bonsoir, Nelson. L'orchestre est-il bon ce soir?

– Comme tous les soirs, monsieur Wakefield, répondit ce dernier en s'autorisant un sourire parfaitement stylé. Nous sommes enchantés de vous revoir. Vous voudrez danser? Dîner peut-être?

Nelson les précéda le long de tentures feutrées derrière lesquelles tintaient discrètement des couverts et murmuraient des conversations de dîneurs. La pièce où ils parvinrent ensuite cloua la jeune femme de stupeur.

C'était une haute salle à triple plafond, bordée de galeries d'où l'on surplombait la piste et les danseurs. Les murs étaient entièrement tendus d'un tissu couleur champagne bordé de lignes claires assorties aux fenêtres en ogive. Les chandeliers de cristal miroitaient de mille reflets d'or et d'argent.

– C'est beau, n'est-ce pas, chuchota Dolph en la voyant s'émerveiller. Je savais que tu aimerais.

– J'aime beaucoup, répondit-elle.

Déjà, il lui avançait un siège. En profita-t-il pour lui glisser un baiser dans le cou? Elle n'aurait même pas su le dire.

– Champagne et petits fours, commanda Dolph.

– Et de l'eau minérale pour moi, ajouta la jeune femme.

– Tu buvais du vin à Nice, nota-t-il quand Nelson fut parti.

– Je n'étais pas aussi distinguée qu'aujourd'hui.

– Ça veut dire que tu critiques les buveurs de champagne?

– Ça veut simplement dire que tu préfères le champagne à l'eau minérale, voilà tout. Tu n'avais pas parlé de danser? ajouta-t-elle aussitôt pour éviter de sortir une autre bourde.

– C'est vrai, fit Dolph en se levant.

Lorsqu'il lui prit la main pour la mener vers la piste, elle comprit qu'elle n'aurait pas pu trouver pire proposition à lui faire. Se retrouver dans les bras de Dolph allait pulvériser ses dernières défenses.

Dolph tira plaisir à la regarder marcher devant lui jusqu'au centre de la piste. Son corps tanguait voluptueusement sous le roulis des hanches et la cambrure de ses reins était le plus joli spectacle auquel il eût jamais assisté.

Il la prit dans ses bras et les souvenirs le submergèrent. Pressant sa joue contre la sienne, il la serra plus fort.

– Te souviens-tu de cette nuit où nous avions dansé sur la plage? lui chuchota-t-il à l'oreille.

– Oui, vaguement, mentit la jeune femme.

Elle s'en souvenait jusqu'au moindre détail. Ils étaient nus l'un contre l'autre et avaient fait l'amour jusqu'au matin. Elle sentit son cœur s'alarmer à cette idée.

– Puis nous avons regardé le soleil se lever sur la mer, poursuivit-il d'une voix chaude et profonde. Et j'ai dit que pour le petit déjeuner je voulais...

— Dolph, j'écoute la musique, intervint aussitôt Belinda pour le faire taire.

Mais c'était trop tard : le flot des souvenirs montait à son tour en elle sans qu'elle pût l'endiguer davantage. Dolph avait dit ce matin-là que c'est elle qu'il voulait en guise de petit déjeuner. En réponse, Belinda lui avait proposé de se servir lui-même jusqu'à se rassasier !

Une main invisible sembla la pousser plus profond encore au creux de ses bras. Ses paupières se fermèrent d'elles-mêmes et elle s'envola sur les ailes de la musique vers ce monde féerique et délicieux qui avait déjà été le leur dix années plus tôt.

5

ILS dansèrent et dansèrent encore tard dans la nuit, confondus l'un dans l'autre et dans leurs souvenirs passés, prenant tout juste le temps de grignoter quelques fruits ainsi que du crabe et du camembert servis sur de petites tranches de pain grillé.

— J'adore marier le goût du fromage et des fruits, commenta Belinda d'une voix tout engourdie.

— C'es très bon pour toi, répondit Dolph en avalant un raisin et en finissant son champagne. Veux-tu encore danser?

Elle accepta aussitôt. Tous deux ne pouvaient se lasser de l'étreinte qui les enlaçait sur la piste, morceau après morceau.

— Penses-tu que les emprunts du gouvernement constituent un bon investissement? demanda la jeune femme pour qu'il la regarde et qu'elle puisse se noyer dans ses yeux.

— Quel gouvernement? répondit-il distraitement, occupé qu'il était à frôler cette peau satinée qu'il aurait voulu couvrir de baisers.

— Très bonne réponse, fit Belinda d'une voix sensuelle.

Elle suivit du regard la ligne nette et virile de

sa mâchoire, là où elle l'avait embrassé si souvent. De son côté, Dolph s'imaginait plonger de la bouche et des mains sous le col de sa robe...

– Dolph? Tu trembles?

– Non, non. J'ai juste avalé de travers, articula-t-il sous l'effet du désir qui l'empoignait soudain. Dansons encore.

Elle se colla contre son torse puissant en se demandant si sa peau était aussi merveilleusement douce que par le passé. Cette pensée la fit vaciller.

– Pourquoi gémis-tu, Belinda? Je t'ai marché sur le pied?

– Non, j'ai un petit problème de genou, répondit la jeune femme qui ondulait dans ses bras comme une liane.

– Il vaut peut-être mieux nous asseoir? suggéra-t-il.

– Surtout pas!

Elle avait presque crié. Quelques têtes se retournèrent.

– Je préfère ça, répondit calmement Dolph.

Belinda l'étreignit plus fort encore et laissa aller sa tête sur son épaule. Il lui avait fallu si longtemps pour revivre cet instant et Dolph lui avait tant manqué! Elle n'osait plus compter les nuits où ses cauchemars l'avaient réveillée en sueur parce qu'elle y voyait l'homme qu'elle aimait la rejeter impitoyablement.

– Tu m'as vraiment laissé un message à Paris il y a sept ans, Belinda?

Elle le regarda en face et hocha affirmativement la tête. Alors il sut qu'elle disait vrai et que le destin avait sans doute décidé ce jour-là qu'un réceptionniste d'hôtel fît mal son travail et oubliât de lui transmettre son coup de téléphone.

Quand l'orchestre salua l'assistance en rangeant ses instruments, Dolph se détacha d'elle à regret.

– Nous n'avons fait que grignoter toute la soirée, observa la jeune femme. Si nous allions souper chez moi? Lorette aura sûrement préparé quelque chose.

– C'est une proposition fort sympathique, rétorqua Dolph.

Ils restèrent silencieux sur le chemin du retour, évitant même de se regarder. Puis Belinda lui ouvrit avec timidité la porte de son appartement..

– Fais comme chez toi si tu veux te rafraîchir, proposa-t-elle en l'introduisant dans une chambre de l'étage supérieur du duplex qu'elle habitait.

Il la remercia d'un sourire et la jeune femme disparut. Une fois dans sa propre chambre, elle contempla son reflet dans le miroir. Dolph était chez elle en plein milieu de la nuit! Le seul homme à qui elle se fût jamais donnée, celui qui justifiait toute sa vie était maintenant là, tout près.

Cela l'effraya brusquement. N'allait-elle pas le perdre au moment ultime? Sa passion à lui était-elle toujours intacte et ses sentiments inchangés? Sa main trembla, zébrant sa joue d'un trait de rouge à lèvres.

– Tout va bien, murmura-t-elle à son reflet pour se rassurer. Tu sauras t'en sortir quoi qu'il arrive, Belinda.

Dolph contemplait la chambre où elle l'avait introduit. Son attention n'allait pas tant à l'opulence du cadre qu'au fait que Belinda vivait dans cet endroit et dans ce décor. Il entra dans la salle de bains, en étudia les tons délicats et la qualité des aménagements. Il ne s'était jamais beaucoup soucié de décoration intérieure, se contentant de jeter sur papier ses goûts et préférences pour laisser des spécialistes travailler à les mettre en œuvre. Ce soir-là pourtant, il en lisait chaque détail comme une information possible sur l'histoire de Belinda.

Dolph aimait sa maison et en caressait les meubles et les objets ainsi qu'il l'eût caressée elle-même. Il avait été foudroyé par la première image d'elle ce matin-là, silhouette aérienne contre le ciel de la baie vitrée de son bureau. La tenir au creux de ses bras lui avait ensuite rappelé des sensations torrides et son corps chantait au contact du sien comme chante l'archet sur les cordes d'un violon.

Pourtant, que lui offrait-il de plus aujourd'hui que tant d'autres hommes n'auraient pu lui offrir? Prenant une profonde inspiration, Dolph traversa la pièce et ouvrit la porte.

Il l'aperçut aussitôt. Elle sortait de sa propre chambre pour longer le patio descendant en courbe inclinée jusqu'au vaste séjour en contrebas. Dolph prit le temps de l'étudier à loisir. Bien qu'elle fût différente, la jeune femme avait gardé cette touche d'innocence qui n'appartenait qu'à elle. La maturité avait simplement rempli les promesses contenues dans la jeune fille d'alors. Bon sang, elle était superbe dans l'éclat de la trentaine tout juste atteinte, cet âge où l'éternel féminin culmine pour donner sa pleine mesure.

— Hello, lança-t-il gaiement.

— Hello toi-même, fit-elle en levant les yeux vers lui, entrouvrant sa bouche pulpeuse dans un sourire à damner un saint.

— J'aime ta maison, avoua-t-il.

« Assez pour vouloir y vivre? » faillit-elle lui demander, se mordant les lèvres juste à temps pour retenir ces mots. Décidément, elle n'était plus elle-même. Il suffisait à Dolph d'apparaître pour que toute la force et la ténacité qu'elle avait mises à affronter son demi-frère et devenir enfin maîtresse de sa propre vie fussent balayées comme fétus de paille. Démunie de ses armes, Belinda se retrouvait dangereusement vulnérable.

– Quelque chose ne va pas? s'enquit Dolph en la voyant s'assombrir. Tu as mal à la tête?

Inéluctablement aimanté, il s'avança rapidement vers elle pour la blottir une fois encore au creux de ses bras.

– Oui, une légère migraine, mentit la jeune femme. Je ne dois pas avoir assez mangé.

L'essentiel était de le toucher, de l'enlacer, de sentir sa chaleur sans réfléchir davantage ni écouter la clameur qui montait en elle comme un aveu. Elle avait ingurgité des tonnes de petits fours au *Pilori* et n'avait pas la moindre faim.

– Je vais te préparer quelque chose, proposat-il en l'emmenant vers la cuisine.

– Il doit y avoir dans le réfrigérateur un plat à réchauffer au four micro-ondes. Lorette dort sûrement. Pas moyen de lui faire passer l'habitude de se lever à cinq heures du matin.

– Elle la perdrait vite si je vivais ici avec toi, sourit Dolph en lui caressant le bout du nez. Elle vit à l'ancienne mode et dès qu'il y a un homme dans la maison...

– Lorette n'est pas du genre soumise au credo machiste de nos sociétés, protesta Belinda. Tu te souviens comme elle traitait l'épicier à Nice? Malgré son âge elle est très moderne et pense qu' hommes et femmes sont parfaitement égaux.

– Elle en est là? s'amusa Dolph. Ce n'est pas un problème. Je suis parfaitement d'accord avec elle.

Maintenant, occupons-nous de toi. Où est l'armoire à pharmacie?

— Pourquoi faire? fit-elle sans comprendre.

— Aspirine. Pour ton mal de tête? s'étonna Dolph.

— Ah oui, bien sûr. Il y a toujours un tube en haut de l'étagère, à côté du corn-flakes.

Dolph la sentait incertaine et inquiète. Cela ne lui déplaisait pas. Elle avait trop longtemps gardé les cartes en main. C'était son tour maintenant. Il trouva immédiatement le tube, remplit un verre d'eau qu'il lui tendit avec deux cachets.

— J'en prendrai un seul, fit Belinda qui l'avala très vite pour engloutir aussi la culpabilité de son petit mensonge.

— Maintenant assieds-toi là, fit Dolph avec prévenance. Je vais préparer un petit en-cas. C'est ma faute après tout. Je t'ai emmené danser sans même me préoccuper de ta santé.

— Mais non, je t'assure. D'ailleurs ça va déjà beaucoup mieux, je le sens, repartit-elle en se redressant avec vivacité. Et puis j'ai grignoté des tas de petites choses là-bas, en fait.

— Laisse-toi faire, souffla-t-il en se penchant vers elle. Je ne vais quand même pas t'empoisonner.

— Non? Qui sait? Après tout, c'est Lorette qui s'occupait de la cuisine à Nice, remarqua Belinda d'un air mutin.

Les souvenirs les enveloppèrent à nouveau de leur trame invisible et palpable à la fois. Nus dans les vagues. Puis roulant l'un contre l'autre sur le lit saccagé d'amour. Dolph s'arracha le premier à l'hypnose qui les engourdissait.

— J'ai fait quelques progrès depuis, déclara-t-il en se redressant pour aller ouvrir la porte du

réfrigérateur, dont il tira un emballage d'alumi-
nium. Qu'est-ce que c'est?

– Quoi? Ah, c'est du cassoulet. Avec de
l'agneau, je crois.

Dolph retira le couvercle et le plaça dans le
four à micro-ondes, puis l'observa régler minute-
rie et cuisson de ses doigts effilés.

– Et que devient ton demi-frère ces temps-ci?
s'enquit-il.

– Toujours pareil, répondit-elle d'un rire bref.
Il cherche de l'argent pour ses petites affaires et
passe au bureau tous les quinze jours. Ma secrétaire rêve de le balancer par la fenêtre.

– Hourra pour ta secrétaire, commenta Dolph.

Il avait gardé son éternel sourire en prononçant
ces mots, mais Belinda perçut la nuance de colère
qu'ils recouvraient. Il valait mieux pour Hector
ne pas croiser son chemin, songea la jeune
femme. Elle le lui ferait savoir à la prochaine
occasion.

Quelques instants plus tard, ils furent tous deux
installés sur les hauts tabourets du bar de la cuisine devant le plat goûteux accompagné d'une
fine salade. Ils mangèrent machinalement,
n'échangeant que de brèves paroles. Belinda
s'interrogeait sur la retenue soudaine et inexpli-
cable qu'elle constatait chez Dolph. Peut-être leur
fallait-il garder encore une certaine distance.

– J'ai été ravi de cette soirée, lui dit-il quand
vint le moment de le raccompagner à la porte.

– C'était très agréable, répondit-elle d'une voix
maladroite et aussi plate que le désert de Gobi.

Il sourit, l'embrassa sur la joue et sortit.

Une fois seule, elle monta au premier étage de
l'appartement en se gourmandant toute seule.

– Idiote, tu aurais dû t'asseoir plus près de lui.

86

Non, il est trop sexy. Tu aurais perdu la tête. Tiens, tu t'es conduite comme une adolescente écervelée, rien de moins.

Cette nuit-là, elle rêva de Dolph. Il se moquait d'elle parce qu'elle venait de lui avouer tout son amour.

De son côté Dolph tourna en rond toute la nuit, comme un fauve en cage. Comment Belinda allait-elle réagir à la première phase de son plan? Cela se passerait dès ce matin. Il la voulait avec une telle force que c'était une souffrance, et la jeune femme allait avoir une première idée de ses sentiments dès la parution des journaux. Le sort en était jeté.

Belinda sortit du lit aux premières heures et tituba vers la salle de bains, où une bonne douche et un shampooing eurent raison de sa migraine. Après avoir revêtu un tailleur Chanel, la jeune femme chaussa des escarpins de cuir marron clair et descendit avec son attaché-case.

— J'ai trouvé des pêches ce matin au marché, mademoiselle, fit Lorette en l'accueillant dans la cuisine. J'ai aussi acheté le journal. Votre photo est très bonne. Celle de M. Dolph aussi.

— Ah bon? fit distraitement Belinda en s'asseyant à table.

Elle jeta ensuite un regard stupéfait à la vieille Provençale souriante, réalisant ce qu'elle venait de dire.

— Ma photo? Celle de Dolph?

Elle ouvrit fébrilement le journal, poussa un cri et bondit sur ses pieds en marmonnant des choses indistinctes.

— Vous êtes malade, mademoiselle? s'inquiéta Lorette qui s'efforçait de la calmer. Vous vouliez peut-être prendre votre petit déjeuner au lit?

– Malade? Oui, de fureur. Je le poursuivrai. Je le tuerai, s'exclama la jeune femme en agitant frénétiquement le journal.

– Vous n'aimez pas la photo? s'enquit Lorette, sidérée.

– Je vais l'écarteler, lança finalement Belinda en jetant le journal au sol pour se diriger vers le téléphone.

Avant même qu'elle l'eût touché, la sonnerie retentit.

– Belinda Bronsky, fit-elle dans le combiné.

– Est-il vrai que vous allez désormais vivre en Europe, mademoiselle? demanda un journaliste au bout de la ligne.

Mais Belinda avait déjà raccroché.

– Vous ferez changer mon numéro, Lorette. Dès ce matin.

– Je vais vous monter vos œufs et votre jus d'orange dans votre lit, proposa Lorette qui n'avait toujours pas compris.

– Il n'en est pas question, répondit la jeune femme.

Elle appela le bottin électronique pour obtenir un numéro qu'elle composa aussitôt, attendant qu'on décrochât en tambourinant des ongles sur le bois de la table. Tout ce qu'elle obtint fut la voix de Dolph sur répondeur, annonçant qu'il n'était pas disponible pour l'instant. Belinda raccrocha violemment.

– Comment ose-t-il annoncer à la presse que nous allons nous marier? fulmina-t-elle en s'adressant à Lorette.

– Ah, c'est donc ça, fit cette dernière avec sagacité. Vous devriez être contente. Vous l'aimez.

– Je ne l'aime pas! cria Belinda. Il est malhonnête et ce n'est qu'un vulgaire séducteur, un homme à femmes.

– Tout ça sera fini quand il vous aura épousée, rétorqua Lorette, fine mouche. M. Dolph fera un excellent mari une fois que vous lui aurez fait oublier dans vos bras qu'il peut exister d'autres femmes sur cette terre.

La jeune femme resta estomaquée d'un tel discours.

– Lorette, vous êtes renvoyée, fit-elle quand elle eut repris son souffle. Faites vos bagages et retournez en France.

– Allons, du calme, rétorqua placidement la vieille domestique. Vous allez vous mettre en retard. Passez-vous de l'eau fraîche sur le visage avant de partir. Vous êtes toute rouge.

Sur ce, elle lui tourna résolument le dos et retourna dans la cuisine. Interdite d'un tel aplomb, Belinda finit par ramasser son sac, son attaché-case et sortit en claquant la porte. Elle dévala les escaliers, jaillit sur le trottoir dans l'intention d'arrêter le premier taxi disponible, mais une horde de photographes la fit battre en retraite. Réfugiée dans l'entrée de son immeuble, elle obtint grâce au téléphone du concierge qu'un taxi vînt la prendre devant la sortie de secours, à l'arrière du bâtiment.

Craignant que d'autres photographes ne la guettent sur son lieu de travail, elle demanda au chauffeur de la déposer à l'arrière du building de sa société. Utilisant sa clef personnelle pour ouvrir la porte sur cour, elle gagna les ascenseurs et monta jusqu'à son bureau.

– Ça n'a pas arrêté depuis ce matin, lui annonça sa secrétaire Lydia en guise d'accueil. Les agents de la sécurité sont sur les dents pour contenir la foule des photographes et des groupies hors de l'immeuble.

– Bloque toutes mes communications, lui ordonna la jeune femme. Et trouve-moi absolument M. Wakefield au bout du fil.

– Il est déjà dans votre bureau, mademoiselle.

– Quoi? hurla Belinda en se précipitant sur sa porte.

Dolph était vautré dans l'un des fauteuils comme chez lui! La jeune femme claqua furieusement la porte derrière elle et marcha d'un pas décidé jusqu'à son bureau.

– Et maintenant, tu vas m'expliquer, gronda-t-elle en lui faisant face, appuyée des deux poings sur la surface vernie.

– Ne crie pas si fort, ma chérie. Lydia pourrait croire que nous nous disputons.

– C'est exactement ce que nous allons faire, Dolph.

– Tu es encore plus belle quand tu es en colère, constata-t-il d'un air satisfait. Une sorte de walkyrie extrêmement sexy.

– Je te jette par la fenêtre si tu ne me dis pas immédiatement ce que tout ça signifie, répliqua Belinda dressant toutes ses défenses contre la voix soyeuse dont elle connaissait trop bien le danger. Ils précisent même la date du mariage, dans quinze jours exactement. C'est toi qui as fait cette communication à la presse?

– C'est moi, admit-il d'une voix toujours aussi calme. Nous allons effectivement nous marier et...

Le grésillement de l'interphone l'interrompit. Sans se démonter une seconde, il s'adressa lui-même à la secrétaire.

– Fort bien, Lydia, lança-t-il dans l'appareil. Nous les attendions. Faites-les donc entrer.

– Faire entrer qui? s'exclama Balinda, sidérée.

– Des amis, fit Dolph en contournant le bureau

pour venir la prendre doucement par la taille. Là, calme-toi. Tu as l'air d'une pile électrique.

– Faire entrer qui ? répéta-t-elle au moment où la porte s'ouvrait sur deux hommes aux visages vaguement familiers.

– Belinda adore poser des questions, commenta Dolph en s'avançant vers les nouveaux arrivants pour leur serrer la main. Comment vas-tu, Peter ? Et toi, Bear ?

Ceux-ci hochèrent machinalement la tête sans quitter la jeune femme de leur regard sérieux et pénétré.

– Qui êtes-vous et que signifie cette intrusion ? fit celle-ci, s'offusquant d'un examen aussi bizarre et sourcilleux.

– Ce sont mes meilleurs amis, chérie, intervint Dolph pour faire les présentations. Peter Larraby. Bear Kenmore. Messieurs, je vous présente Belinda Bronsky.

– Je suis heureux de vous savoir enfin de retour, fit Peter d'une voix chaleureuse en lui prenant la main. Dolph attendait ça depuis un sacré bout de temps.

– Vraiment ? s'étonna-t-elle, bouche bée.

– Oui, vraiment, affirma Bear à son tour en écartant son ami pour la soulever dans ses bras. A vous voir aujourd'hui, je le comprends tout à fait. Regardez-le, ajouta-t-il en lançant un coup d'œil vers Dolph, il va vouloir me tuer pour vous avoir serrée contre moi.

– Peu importe ce qu'il pense, déclara la jeune femme en retrouvant l'équilibre. Ça ne se passera pas comme ça.

– Panthère, fit Peter en riant. Vous me faites penser à ma femme. Ah, ça me rappelle que je dois vous inviter à dîner chez Bear pour fêter l'annonce de votre mariage. La famille de Bear sera là et nous avons promis aux enfants qu'ils pourraient rester un peu. Ne soyez donc pas en retard.

— A propos, Dolph, énonça Bear, tu sais que mes parents insisteront probablement pour que la noce se fasse chez eux.

— Je m'en suis occupé, répondit ce dernier. Tout est déja organisé au *Pilori*.

— Tout... est déjà... organisé? répéta Belinda d'une voix blanche, détachant chaque syllabe.

Un ange passa et s'enfuit, effrayé par la tension soudaine. Peter et Bear échangèrent un regard entendu et sourirent.

— Eh bien, merci d'avoir appelé, fit Bear en prenant congé de Dolph. Christine aurait été furieuse d'apprendre cette grande nouvelle par les journaux, tu penses.

— C'est pourtant comme ça que je l'ai apprise moi-même, lança Belinda d'un ton acide en se raidissant lorsque Dolph vint la prendre par la taille.

— Comment? s'écria joyeusement Peter. Dolph vous a fait le coup de la surprise? J'adore ça.

— Très drôle, Peter, grommela Dolph. Il nous reste juste quelques petits détails à régler. Ce sera vite fait.

— Je n'en doute pas, affirma Peter dont la gaieté fondit sous l'œil contrarié de son ami. Je sais, Dolph, je sais. Quoi que tu manigances, tu ne veux surtout pas qu'on s'en mêle.

— C'est aussi mon impression, ironisa Bear.

— Bien, déclara Peter en claquant des doigts, je serais bien resté encore un peu mais je crois qu'il vaut mieux qu'on s'en aille, Bear. A plus tard, Belinda.

Se penchant vers elle, il lui posa un baiser sur la joue.

– Très heureux de vous avoir rencontrée, murmura Bear en faisant de même.

– Moi aussi, leur répondit platement la jeune femme.

Les deux hommes disparurent sur un dernier sourire. Dolph et Belinda étaient de nouveau seuls dans le bureau.

– Restons calmes, fit Dolph qui la sentait frémir de rage.

– Tu as appelé tes amis mais tu n'as pas songé un seul instant à m'appeler ou à me prévenir, ni même à me demander mon avis, moi la principale intéressée ? explosa la jeune femme. De toute façon, nous ne nous marierons pas.

– Si, répliqua-t-il d'une voix égale.

– Tu te rends compte que tu m'as complètement manipulée dans cette histoire ?

– Et toi ? Qu'as-tu fait d'autre ces dix dernières années que j'ai passées à attendre ne serait-ce qu'un seul appel de toi, un seul signe de vie ? A quoi t'attendais-tu ? A une gerbe de roses ? A une accolade ou à une ovation ?

Sa voix avait monté d'un cran, fouettée par la colère.

– Je t'ai appelé et laissé un message, plaida Belinda.

– Une fois. Une seule fois en dix ans, grondat-il.

– Je te préviens, Dolph, n'élève pas la voix avec moi.

– Ah non ? Je devrais faire même plus que ça, figure-toi.

– Vraiment ? Et quoi donc, je te prie ? se rebiffa-t-elle. Tu montes toute cette affaire sans rien me dire et c'est toi, bien sûr, qui dois te sentir offensé !

La fureur de Belinda montait avec la sienne. D'aussi loin qu'elle s'en souvînt la jeune femme n'avait jamais vu Dolph sortir de ses gonds, si ce n'était le jour où Hector était venu obscurcir leur idylle. A cette exception près, un seul mot pouvait résumer le caractère de Dolph Wakefield : le contrôle de soi, contrôle total et absolu.

— Et n'essaie pas de m'avoir en jouant l'homme blessé par le passé... poursuivit-elle, prête à tous les arguments

Mais elle se tut en voyant son visage passer du rouge de l'indignation au blanc livide et crayeux de la vraie souffrance.

— En jouant? répéta-t-il d'une voix blême et comme morte. Il n'est pas question de jouer. Ce que tu m'as fait m'a quasiment tué, Belinda.

— Mais... ce... ce n'est pas vraiment ce que je voulais dire. Et je ne n'attendais de toi rien de particulier, je...

— Faux, la coupa-t-il d'une main qui fendit l'air comme un couperet. Tu attendais beaucoup de moi. Tu voulais m'observer, me guetter, me regarder pendant des années avant de sortir brusquement de ta cachette pour m'épingler comme un papillon dans ta collection.

— Comment peux-tu parler ainsi? Je ne suis sortie d'aucune cachette. J'ai passé tout ce temps à bâtir une entreprise internationale et...

— Je sais. J'en connais même le chiffre d'affaires. Mais tu n'es plus la seule à contrôler nos vies. J'ai mon mot à dire désormais. Maintenant écoute bien : j'ai parlé à mes avocats de cette bande magnétique où tu jurais de venir vivre avec moi.

— Tu as toujours cette bande? fit Belinda, soudain désarmée.

Pouvait-il évoquer de plus grande nostalgie que celle de cette nuit niçoise qu'ils avaient passée à boire du champagne, à se lire des poèmes d'amour et à échanger des serments qu'ils enregistraient pour s'amuser?

— Quelle différence cela fait-il? dit-elle en se ressaisissant. Ce n'est pas une preuve valable et...

— Nous ne sommes pas encore au tribunal, ma chérie. Et tu n'es pas avocate. Mes juristes, eux, me certifient que cela constitue une promesse d'accord dont la rupture peut ouvrir une action en justice. Et ils s'y entendent, crois-moi. Je leur ai demandé de trouver tout moyen qui me donne un pouvoir sur toi.

— Tu n'oserais pas, protesta faiblement Belinda.

— Tu crois? Je n'en serais pas aussi sûre à ta place. Parce que je m'en servirai, Belinda. Ou bien tu acceptes de m'épouser, ou bien je te traîne en procès, toi et ton entreprise. C'est clair?

— Tu n'as pas le droit! cria la jeune femme, rebelle à son emprise et prête à se défendre jusqu'au bout si besoin était.

— Regarde-moi dans les yeux, Belinda, et dis-moi ce que tu choisis : m'épouser ou te battre contre moi en justice sans quartier ni pitié jusqu'à ce que le meilleur écrase l'autre?

— Mes avocats pourraient me fournir d'excellents dossiers pour lutter pied à pied, défia-t-elle.

— Sans doute, rétorqua-t-il en haussant les épaules. Mais les miens seront les meilleurs. De plus, ils sont déjà au travail.

Avant même qu'elle ait pu faire un geste, il l'avait brusquement enlacée, la plaquant contre lui sans échappatoire.

Dolph était hanté depuis des années par ce baiser qu'il allait lui donner. Serait-il aussi fort, aussi brûlant, aussi infini que ceux qu'il gardait en mémoire? Au moment où il approchait ses lèvres des siennes, il se dit que c'était impossible. Pourtant, ce qu'il ressentit à cet instant dépassa en puissance tout ce que pouvaient lui dicter ses souvenirs.

Sa bouche força la sienne. Toute en douce résistance, Belinda entrouvrit ses lèvres.

La jeune femme luttait contre le feu qui la dévorait de passion. Tout son être vibrait sous les flots de désir que cet homme déversait en elle en torrents et cascades qui formaient à leur tour des rivières et des fleuves courant vers le grand estuaire pour se jeter dans un océan d'amour. C'était bien comme à Nice... mais différent, plus profond et plus poignant, plus merveilleux aussi. La jeune femme frissonna.

– Tu trembles, mon amour? chuchota Dolph en se forçant à se détacher d'elle. Ne t'inquiète pas. Une fois que nous serons mariés, je ferai en sorte que tu n'aies plus jamais froid. Je reviens te chercher à six heures.

Le temps d'un baiser ultime et rapide, il avait déjà disparu tandis que Belinda tanguait encore, les yeux rivés sur la porte qu'il venait de fermer derrière lui. Elle leva lentement la main vers ses lèvres où courait toujours le feu du baiser et y plaqua sa paume pour s'empêcher de crier.

Belinda trouva dans la garde-robe de son bureau de quoi se changer pour le dîner du soir. Elle choisit un tailleur de satin rouille à jupe droite et à veste croisée dont les boutons étaient assortis à ses boucles d'oreille en or péruvien, ainsi qu'un chemisier de soie crème à jabot et à manches bouffantes. Elle libéra ses cheveux du chignon strict et serré qu'elle portait aux heures de travail, les laissant tomber sur ses épaules après les avoir énergiquement brossés pour leur redonner brillance et volume. Absorbée dans l'examen de son reflet dans le miroir, elle n'entendit pas la porte s'ouvrir dans son dos.

– C'est moi, annonça Dolph. Lydia m'a dit que tu te préparais. Tu es magnifique.

– Je croyais avoir fermé la porte.

– Tu t'es trompée. On y va?

– Te voilà habillé bien classique, fit remarquer Belinda.

Il était superbe dans son costume du soir sobre de couleur anthracite.

– C'est juste pour toi que je me suis habillé. Pour te changer du temps où nous ne portions rien du tout à Nice.

– Je suis prête, dit la jeune femme pour éviter de s'attarder sur cette image brûlante. On prend ma voiture ou la tienne?

– La mienne est en bas.

Tout le long de la descente en ascenseur, Belinda sentit son regard peser sur elle de tout son poids. Appuyé contre la cloison, Dolph la détaillait en effet à loisir. Un puissant désir le torturait. Toutes les idées qu'il s'était faites sur leurs premières sorties n'avaient pas tenu compte de ce paramètre. Belinda l'attirait comme aucune autre femme auparavant Il avait voulu se jouer d'elle en annonçant leur mariage dans les journaux et c'est lui qui se trouvait pris d'une joie sans mélange à la pensée de devenir son époux.

Prétextant d'un principe de sécurité, Dolph la prit par le bras pour traverser le hall et ne la lâcha qu'une fois devant sa voiture, garée en stationnement interdit. Malheureusement, il n'y avait ni contravention ni contractuelle en vue. Ces filles n'étaient jamais là quand on avait besoin d'elles, pensa Belinda qui se sentait prise au piège.

Manhattan était magique ce soir-là. L'air était doux et la jeune femme se laissa aller malgré elle au confort du siège de la Ferrari. Quand Dolph lui prit la main, les doigts de la jeune femme s'enroulèrent d'eux-mêmes autour des siens.

— Bear possède une maison dans le quartier, annonça Dolph. Quant à Peter, il vit plus loin, à Long Island.

Elle perçut dans sa voix un accent de chaude amitié.

— Ils comptent beaucoup pour toi, observa-t-elle.

— J'ai parfois l'impression qu'ils m'ont sauvé de la folie.

Elle ne voulut pas répondre à cette dernière parole et fut soulagée de voir qu'ils arrivaient à destination.

Dolph gara la voiture devant une belle bâtisse de quatre étages en pierre de taille. Il fit le tour pour lui ouvrir la portière et lui offrir son bras, puis s'avança vers la porte qui s'ouvrit avant même qu'il eût le temps de sonner.

— Bonsoir, Bear, fit-il.

— Je guettais votre arrivée, répondit ce dernier. Entrez, Belinda, vous allez rencontrer toute la bande.

A peine la jeune femme était-elle entrée dans le vaste et haut séjour qu'une porte s'ouvrit brusquement du côté opposé. Deux jeunes garçons gambadèrent vers elle. Ils se ressemblaient comme deux gouttes d'eau.

— Soyez sages, fit doucement Bear en tentant de les attraper.

Mais les jumeaux l'évitèrent pour se précipiter sur Belinda, qui en serait tombée à la renverse sans le secours de Dolph.

– Attention, les gars, déclara ce dernier. Cette dame est à moi. Pas à vous.

Belinda n'aurait pas laissé passer une telle remarque si les jumeaux n'avaient absorbé toute son attention. Malgré son peu d'expérience des enfants, elle devina que ceux-ci devaient avoir dans les trois ans.

– Bonsoir, leur dit-elle en se penchant vers eux.

– Moi c'est Patrick, et lui c'est Éric, dit l'un d'eux avant de montrer Dolph d'un doigt potelé. Et lui, c'est notre parrain.

– Ravie de vous connaître, répondit la jeune femme.

Éric sourit timidement. Patrick était plus déluré.

– Nous savons qui tu es, lança-t-il. J'ai entendu papa dire à maman que tu ferais de très beaux bébés et que...

– Juste ciel! intervint Bear en les soulevant dans ses bras et en adressant un regard confus à Belinda. J'essaie toujours de ne pas parler quand ils sont là, mais ça rate parfois. Arrête de rire, Dolph. Belinda va se sentir gênée.

– Mais non, elle ne l'est pas, fit Dolph. N'est-ce pas, chérie?

– Pas le moins du monde, répliqua la jeune femme.

En fait, elle serait volontiers passée sous la moquette. Dolph en riait encore lorsqu'ils suivirent Bear dans un salon spacieux décoré de tapis orientaux et de tentures de luxe. Deux femmes de belle allure levèrent un regard étonné sur la nouvelle venue.

S'avançant à la rencontre de Belinda, Peter lui prit la main pour les lui présenter.

— Je suis Christine Kenmore, déclara la première, une grande femme blonde aux cheveux d'or. J'ai entendu les jumeaux. Vous voudrez bien les excuser.

Belinda la trouva fort jolie avec ses grands yeux sensuels et chaleureux.

— Les miens ne valent pas mieux, intervint la deuxième en lui tendant familièrement la main. Damienne Larraby.

— Belinda Bronsky, se présenta à son tour la jeune femme en se demandant si elle n'avait pas déjà vu ce visage à chevelure d'argent en couverture de *Vogue*.

— Les voici justement, reprit Damienne en désignant une petite fille et un petit garçon. Suzanne a quatre ans et Robert vient d'en avoir deux.

— Et tu es bien sûr le parrain, lança Belinda à l'adresse de Dolph qui approuva avec fierté.

— Moi, je ne parle pas comme les garçons, fit Suzanne d'une voix de flûte, et je suis la favorite d'oncle Dolph.

Son sourire enfantin s'élargit en voyant rire les adultes.

— Dois-je lui dire que j'ai une nouvelle favorite? souffla Dolph à l'oreille de Belinda qui rougit en s'écartant de lui.

Après le coucher des enfants, ils s'attablèrent devant un délicieux curry d'agneau. Bien qu'aucun des convives n'osât aborder le sujet, la jeune femme comprit que les amis de Dolph étaient fort curieux d'apprendre comment tous deux s'étaient rencontrés. Sans vouloir dévoiler son propre subterfuge, Belinda décida de leur conter par le détail comment Dolph avait échoué dans sa tentative de séduction d'une contractuelle assermentée.

L'histoire leur plut beaucoup. Bear et Peter hurlèrent de rire tandis que Christine sortait son mouchoir pour sécher ses larmes d'hilarité.

— J'aurais tellement aimé voir ça, Dolph! hoqueta-t-elle.

— Et moi donc! appuya Damienne en lui posant tendrement la main sur l'épaule.

— Traîtresses, murmura malicieusement ce dernier à l'adresse de ses deux amies.

Après leur avoir souhaité à tous une bonne nuit, Dolph et Belinda prirent le chemin du retour.

— Je comprends maintenant pourquoi ils sont si chers à ton cœur, observa la jeune femme.

— Ils sont tout à la fois ma famille et mes amis, répondit-il d'un air grave. Ils ont souvent été la seule et unique chaleur qui me restait ces dernières années.

Un froid subit se glissa entre eux dans la voiture. Belinda se rapprocha de sa portière. Dolph se serait arraché la langue pour avoir prononcé ces derniers mots stupides.

6

BELINDA passa le jour suivant à son travail, donnant une vague réponse à toute question posée sans jamais se départir de son sourire. Elle et Dolph s'étaient séparés la veille avec une certaine froideur, mais il avait pris soin de lui rappeler que leur marché tenait toujours.

Après un déjeuner d'affaires qui l'avait achevée, la jeune femme ne rêvait plus que d'une chose : prendre quatre jours de sommeil, lovée douillettement sous sa couette couleur crème. Elle s'était presque décidée à le faire quand l'interphone sonna.

— C'est votre demi-frère, annonça la voix de Lydia. Il veut absolument... hé, attendez!

Sur son cri, la porte s'ouvrit brusquement et Hector apparut.

— Rentre encore une seule fois comme ça dans mon bureau et j'appelle la police, siffla Belinda. Je te ferai même arrêter si nécessaire. Est-ce clair?

Hector n'avait pas changé depuis dix ans. Un peu plus dégarni et empâté, il montrait les signes d'un certain laisser-aller et d'une trop grande indulgence envers lui-même. Pour lui, l'abstinence et la rigueur n'étaient qu'une perte de temps. Belinda se demanda ce qu'aurait pensé Dolph en le voyant.

— Ta secrétaire ne vaut pas un clou, grommela Hector en désignant Lydia qui l'avait suivi jusque dans le bureau.

— J'ai du travail, rétorqua la jeune femme. De plus, nous n'avons plus rien à nous dire.

Il était bien la personne qu'elle méprisait le plus au monde. Il avait dû lire les articles dans la presse et venait pour ça.

— Figure-toi que je pense exactement le contraire, fit Hector. Je veux une partie de tes parts dans cette société. Autrefois, je te l'aurais demandé. Aujourd'hui, je l'exige. Oh, pas tout, bien sûr, ajouta-t-il en saisissant sur le coin du bureau un superbe encrier pour l'examiner. Joli, n'est-ce pas? Ça ne te fait rien si je le prends?

— Si. Et tu vas le remettre à sa place. Emporte la moindre chose de cette pièce et j'appelle la police. Je ne veux plus te voir. Est-ce que tu m'as bien comprise?

L'autre haussa les sourcils avec une moue affectée.

— C'est toi qui n'as pas très bien compris, fit-il en reposant lentement l'encrier. Je ne te demande pas un travail. Je veux juste un intéressement à tes affaires et si je ne l'obtiens pas, j'irai tout révéler à la presse à scandale. Ma petite sœur mineure et sa vie avec Dolph comme maîtresse attitrée, tu te rends compte? Mais ce ne sont que vieilles histoires, après tout. Et puis pour moi, ressortir toute cette misère serait une véritable torture, tu le sais bien.

Il marqua un temps pour tirer à lui un fauteuil.

— Personne ne peut faire le rapport entre Linda, directrice actuelle de la Linda Cosmetics

International, et la petite prostituée personnelle de Wakefield il y a dix ans, poursuivit-il. Personne sauf moi. Et je peux le prouver.

— Hector!

— J'aime bien ce bureau, railla-t-il. Je m'y plairais beaucoup.

L'encrier le frappa en pleine poitrine. Il bascula en arrière avec son fauteuil. A le voir étalé sur le sol, stupéfait et congestionné, Belinda faillit éclater de rire. Mais elle était blessée au plus profond d'elle-même. Elle contourna vivement le bureau, levant à bout de bras le lourd encrier comme pour le frapper.

— Maintenant, dehors, proféra-t-elle, dents serrées. Et que je ne te revoie plus jamais. Quoi que tu dises aux journaux, tu ne tireras pas un sou de moi.

— Bon sang, Belinda, tu aurais pu me casser la jambe. Je te poursuivrai en justice, cracha-t-il, l'œil mauvais.

— Commence par aller me poursuivre ailleurs. Tu n'obtiendras rien de moi, lança la jeune femme en actionnant l'interphone. Lydia? Une poubelle à deux jambes va sortir d'ici. Que la sécurité le ramène à la porte et l'expulse sans espoir de retour.

— Je les ai déjà prévenus, répondit la secrétaire.

En effet, la porte s'ouvrit sans tarder sur deux gardes.

— Ne vous en faites pas, leur déclara Hector d'une voix haineuse lorsqu'ils le saisirent. Un jour je serai le patron ici et vous me cirerez les pompes.

— C'est ça, quand les poules auront des dents, rétorqua Lydia sans se départir de son humour légendaire.

104

L'immonde personnage fut promptement sorti du bureau.

– Ne me passe plus d'appels, soupira Belinda à l'intention de sa secrétaire. Même si c'était le roi d'Angleterre.

– Vous ne risquez pas lourd. Ils n'ont plus qu'une reine là-bas, lança Lydia avant de refermer la porte derrière elle.

Restée seule, Belinda s'assit à son bureau, la tête entre les mains. Tout ça ne devait être qu'un mauvais rêve.

A six heures, Dolph apparut dans son bureau.

– Lydia fait un drôle d'air, dit-il d'une voix soucieuse. Comme si tu avais eu des ennuis.

– C'est le mot, répondit-elle en se tournant vers la baie vitrée derrière laquelle le soleil couchant teintait de rose le ciel de New York. Hector est venu me voir. Il m'a menacé de vendre à la presse sa version personnelle de notre rencontre à Nice si je ne lui cédais pas mon bureau ainsi qu'une position de directeur.

– Ensuite? s'enquit Dolph d'une voix glacée.

Il parvenait tout juste à se maîtriser fermant ses poings comme s'il tenait déjà Hector à la gorge.

– Je l'ai jeté dehors, indiqua la jeune femme.

– Bon sang! Je l'aurais volontiers éjecté moi-même. Ça fait longtemps que je rêve de donner à ton demi-sel de frère la correction qu'il mérite.

– Il le fera, Dolph, s'exclama Belinda en se retournant vers lui. Il vendra son histoire au plus offrant.

Le désir frappa Dolph au plexus. Elle avait le soleil dans le dos et la lumière perçait le tissu de sa robe pour dessiner en contrejour chaque détail de son corps souple et désirable.

– Laisse-le faire, dit-il d'une voix contrôlée.

– Mais ta carrière ...

– Ma carrière en a vu d'autres, et elle en verra de pires.

N'apprendrait-elle donc jamais qu'il n'aurait pas l'ombre d'une hésitation à choisir entre elle et sa carrière, que ce serait toujours elle, Belinda?

– Cela pourrait-il nuire en revanche à tes affaires? reprit-il.

– Je ne pense pas, répliqua la jeune femme. Mais qui sait?

– Je ne le laisserai pas te faire du mal et je m'occuperai sérieusement de lui s'il se permet de revenir. Après ça, il n'aura plus envie d'essayer un fauteuil de directeur, crois-moi.

A son grand étonnement, Belinda éclata de rire.

– Ne t'inquiète pas, je ne suis pas en train de devenir folle, expliqua-t-elle. C'est juste l'image qui était trop comique. Tu aurais dû le voir partir les quatre fers en l'air par-dessus ce fauteuil. Je l'avais frappé avec cet encrier.

Dolph examina l'objet avec intérêt.

– Dis-moi, tu es une vraie petite combattante? s'enquit-il en lui passant un bras autour de la taille.

– Oui. Et tu feras bien de t'en souvenir toi aussi.

– Dès que nous serons mariés, je me promènerai avec une armure. Mais ce soir, comme tous les amoureux de la terre, nous allons fêter nos fiançailles.

– Vraiment? fit la jeune femme d'une voix mutine.

– Puisque je te le dis, rétorqua-t-il en composant un numéro de téléphone tout en la gardant serrée. C'est délicieux de te sentir là tout contre moi, tu sais.

— Je sais.

Belinda ferma les yeux. Elle ne comprenait toujours pas comment elle avait pu retarder ce moment. Dolph avait toujours été le seul. Il avait été le tremplin de son ambition et de son désir de réussir.

— Peter Larraby, fit une voix au bout du fil.

— C'est Dolph. Tu peux nous rejoindre avec Damienne ce soir au *Carrousel*? Je vais prévenir aussi Bear et Christine.

— Pas de problème. Je crois savoir qu'ils ont là-bas un excellent orchestre. Je suis impatient de danser avec ma femme... et avec Belinda.

— J'ai pas bien entendu, grommela Dolph.

— A ce soir, fit Peter en partant d'un grand rire.

Dolph raccrocha et couva la jeune femme d'un regard de convoitise.

— Peter et Bear ont l'habitude de lire en moi à livre ouvert, dit-il. Ils ont compris l'importance que tu as pour moi.

Le cœur de Belinda se mit à battre un peu plus vite.

— Pendant des années, ils se sont demandé ce que je cachais, poursuivit Dolph. Je t'avais enfouie si profondément en moi qu'ils ne pouvaient rien deviner. Aujourd'hui ils le savent. De toute façon, je n'arrive plus à cacher grand-chose.

— Je ne me cacherai plus jamais moi non plus, murmura Belinda en lui passant les doigts dans les cheveux.

Elle l'embrassa une fois, deux fois, puis leurs bouches s'unirent et s'ouvrirent l'une à l'autre. Ils se pressèrent l'un contre l'autre pour un instant d'éternité. Dolph moulait son corps sur le sien comme pour les confondre en une seule et même personne.

Ce baiser fut la caresse érotique la plus intime et la plus profonde qu'il eût jamais échangée avec quiconque. La vérité lui apparut à cet instant dans une lumière aveuglante : il voulait cette femme jusqu'à la fin des temps.

Belinda fut catapultée en arrière vers ses souvenirs de Nice. Dolph était son seul bonheur d'hier et d'aujourd'hui. Elle en aurait pleuré de joie et de reconnaissance.

Leurs lèvres se séparèrent le temps de reprendre leur souffle. Ils plongèrent dans les yeux l'un de l'autre.

— Jamais, chuchota Dolph, jamais je ne te laisserai me quitter de nouveau.

— Jamais je ne le ferai, répondit-elle avec un rire de gorge. Tu feras bien d'être à l'heure à l'église, car je n'attendrai pas des heures devant l'autel !

— J'y serai et je t'y recevrai, ma chérie. Auras-tu un témoin pour t'accompagner ?

— Non. Je remonterai toute seule l'allée centrale.

Elle lui ouvrit son regard limpide pour qu'il pût contempler la passion qui attendait depuis des années son retour. Belinda prit à cet instant la vraie mesure de sa solitude passée ; la tristesse du temps perdu l'envahit alors tout entière.

Dolph lut à même ses pensées et cela lui brisa le cœur. Il avait été sa souffrance. Elle avait été la sienne.

— Je ne manquerai pour rien au monde le moment où tu remonteras la nef de l'église pour venir vers moi, Belinda. Ne pleure pas, ne pleure pas, ma chérie, ajouta-t-il en voyant ses yeux s'embuer de larmes. Je suis à toi. Je t'appartiens depuis le jour où je t'ai trouvée dans ma voiture.

Tu as emporté toute ma vie avec toi quand tu es partie et aujourd'hui je renais avec toi.

La jeune femme fut submergée par l'émotion.

– Dolph... Dolph... ne put-elle que répéter comme la formule magique de sa propre destinée.

– Je te garderai pour toujours, mon amour, murmura ce dernier.

– Je ne pensais pas que ce jour pût arriver, chuchota Belinda. J'en ai tant rêvé pourtant, tu sais. Mais au fond de mon âme j'étais persuadée que ça ne marcherait pas.

– Tu aurais dû me faire confiance dès le début, petite peste, répondit-il en l'enlevant dans ses bras vers le canapé du bureau. Je me sens capable de te faire l'amour jusqu'à l'aube sur ce sofa. Mais pourquoi rougis-tu?

– C'est que tu devines mes moindres pensées, Dolph. J'ai fait quelques rêves érotiques à ton propos pendant ces années.

– Ne me dis pas ça. Tu vas me faire perdre la tête.

– Te voilà toi aussi pris de fantasmes?

– Et comment! admit-il en la prenant par la taille pour la percher sur ses genoux. Tu es restée toute menue, on dirait?

– Je n'ai jamais été menue, protesta la jeune femme. Tu disais toujours ça à Nice, mais ce n'est pas vrai.

– Nice, murmura Dolph, le regard perdu. Je me souviens de tout. Tu jardinais tout le jour. Ton visage était recouvert de poussière collée par la transpiration et tu portais ce tablier dix fois trop grand pour toi.

– En voilà un joli tableau!

– Tu es toujours aussi belle aujourd'hui que tu l'étais alors et j'ai toujours autant envie de toi.

– Moi aussi.

– Ici, Belinda... maintenant.

– Je ne dis pas non... mais ne parlais-tu pas de retrouver des amis au *Carrousel*?

– Je pensais à une autre manière de célébrer nos fiançailles.

– Je vois bien ce que tu veux dire. Mais tes amis...

– Je veux t'aimer de toute ma force et de tout mon être, insista Dolph.

– Si ton amour est si fort, ne peut-il patienter un peu plus?

Il l'embrassa avec fougue, l'enflammant à son tour de ses caresses.

– Il... faut... partir, haleta Belinda.

Dolph soupira et se détacha d'elle à regret.

– Tu veux des enfants, Belinda? demanda-t-il brusquement.

Elle hésita à répondre et se dirigea vers les ascenseurs.

– Depuis que j'ai vu Patrick hier soir, j'aimerais bien avoir un garçon, avoua-t-elle.

– Et moi, une fille rousse aux yeux violets qui n'ait peur de rien, déclara Dolph.

– Comme Suzanne?

– Exactement.

Ils furent au rez-de-chaussée en un rien de temps et rejoignirent la voiture en stationnement interdit comme toujours.

– Tu veux bien qu'on passe chez moi avant? demanda la jeune femme. Je voudrais prendre une douche et me changer.

– Moi aussi. Nous ferons un saut chez moi ensuite, proposa Dolph. Resteras-tu avec moi cette nuit, Belinda?

– Oui.

110

— Dieu soit loué, murmura-t-il tout bas.

Une fois garé devant chez elle, il suivit la jeune femme dans son appartement duplex.

— Y a-t-il quelque chose que je puisse faire pour toi? cria Dolph tandis qu'elle gravissait l'escalier conduisant à l'étage.

— Non, pas encore, dit-elle en se penchant sur la rampe.

Son sourire le transperça d'une chaleur torride.

— Tu n'auras pas besoin de moi pour te frotter le dos?

— N... non, reprit-elle d'une voix hésitante qui l'encouragea.

— Tu es vraiment sûre? lança-t-il en avançant vers l'escalier

— Dolph, reste où tu es! ordonna la jeune femme en fuyant devant la lueur qu'elle venait de percevoir dans son œil.

Elle eut juste le temps de s'enfermer dans la salle de bains. Dolph tambourina furieusement contre la porte.

— Belinda! Laisse-moi entrer! gronda-t-il. Je serai sage, je te le jure!

Un rire moqueur et sensuel lui répondit.

— Non, je ne te crois pas. Tu voudrais prendre une douche avec moi et alors nous... ferions l'amour et... nous irions au lit...

— Tais-toi, Belinda, et arrête de rire! Tu me tortures!

— Si ça peut t'aider, sache que je me torture tout autant pour ne pas t'ouvrir la porte, répondit la jeune femme.

— Ça m'aide un peu, mais pas tant que ça, avoua Dolph.

— Nous serions en retard, tes amis se douteraient de ce qui s'est passé et...

– Et alors? Si tu les avais vus au moment où ils courtisaient leur femme, tu saurais qu'ils sont à même de comprendre.

– J'en ai pour une minute, fit la petite voix de Belinda derrière la porte.

– Très bien. Je vais prendre une douche en bas moi aussi. Une douche froide. N'oublie pas d'emporter des affaires pour demain, ajouta Dolph en s'éloignant la mort dans l'âme.

– Ma chemise de nuit? fit encore la petite voix.

Dolph s'arrêta net et revint vers la porte à bout de nerfs.

– Écoute, Belinda. A moins que tu désires que j'enfonce cette porte, il faut que tu cesses d'être aussi provocante. Tu sais aussi bien que moi que tu ne porteras rien cette nuit.

A ces mots, il tourna résolument les talons et redescendit vers le hall. Quand Belinda le rejoignit un peu plus tard dans le salon, elle constata que ses cheveux étaient encore humides de sa douche.

– Te rends-tu compte que tu me fais sortir de mes gonds, ma chère future épouse? l'interrogea Dolph aussitôt.

Elle adorait le ton à la fois tranchant et plein d'humour qu'il savait parfois employer pour dérouter les autres.

– Je suis moi-même assez retournée, remarqua-t-elle avec candeur.

– Il faut partir, décida-t-il en lui tendant la main. Sinon il ne me faudra pas plus de dix secondes pour te ramener là-haut et te déshabiller de la tête aux pieds.

– Dépêchons-nous de partir en effet, appuya Belinda.

Une fois qu'il eut ouvert la porte de chez lui, Dolph arrêta la jeune femme sur le seuil pour la prendre au creux de ses bras.

— Ceci est ta nouvelle maison et tu es ma fiancée, dit-il.

Tout émue, la jeune femme ne put que blottir son visage dans son cou.

— Tu aimes ta nouvelle maison? lui demandat-il en l'introduisant dans le hall d'entrée. Elle appartient à ma famille depuis des générations et j'ai gardé toute la décoration originale de l'époque coloniale. Alors s'il y a quelque chose que tu veux changer ou si tu préfères vivre ailleurs...?

Elle leva vers lui un visage baigné de larmes.

— J'aime beaucoup ta maison. Je crois en la force de la tradition. Nous la transmettrons à nos enfants et s'il faut changer quoi que ce soit, nous le déciderons ensemble.

— Nos enfants, dis-tu... C'est merveilleux à entendre, murmura Dolph en l'embrassant. Je t'aime, Belinda, et cela depuis si longtemps que je n'imagine pas que cela cesse un jour.

Envoûtée par l'amour, la jeune femme ne sut quoi répondre.

— Tu dois t'habiller, Dolph. Va, ne t'occupe plus de moi.

— Visite toute la maison si tu veux, proposa-t-il. J'en ai pour quelques minutes.

Elle le laissa s'éloigner et quitta le hall d'entrée pour pénétrer dans un bureau où elle s'assit, contemplant sans les voir les livres recouvrant les murs du sol au plafond. Tout d'un coup, toutes les raisons qui l'avaient conduite à s'éloigner de lui autrefois lui apparurent futiles et injustifiées. Se cachant le visage de ses mains, elle s'affaissa dans son fauteuil. Par orgueil, par égoïsme et par stupidité, elle avait sacrifié sa vie et celle de Dolph pendant plusieurs années. Pourquoi? Pourquoi n'avait elle pas vu ce que lui avait tout de suite compris? Ils auraient déjà fait tant de choses ensemble et vaincu tant d'obstacles. Ils étaient égaux et identiques. Ils l'avaient toujours été. C'était cela, le pouvoir de l'amour!

— Idiote, idiote, idiote! se répétait-elle en sanglotant.

— Belinda, que se passe-t-il? s'écria Dolph en surgissant dans la pièce. Ma chérie, tu es si pâle! Quelque chose t'a effrayée, peut-être?

— Serre-moi fort, serre-moi, fit-elle d'une voix brisée. Je me suis trompée, Dolph. J'ai perdu tant de temps!

— Je comprends, répondit-il en plongeant ses yeux dans les siens. Je me demandais à quel moment tu prendrais le choc en retour. Je savais que tu le prendrais, tôt ou tard. Je te connais trop bien.

— Tu me connais? Vraiment?

— Oui.

— Je me suis beaucoup remise en question depuis nos retrouvailles, expliqua la jeune femme.

— Et cela fait mal, n'est-ce pas?

— Oui.

— Rassure-toi. Tout se passera bien, tu verras. Il y faut juste un peu de temps.

— Je me sens déjà un peu mieux, admit Belinda avec un sourire fragile et courageux.

— Alors allons-y, décida-t-il en l'entraînant vers la porte de la maison. Nous ne serons plus jamais séparés, ma chérie. Je te le promets.

La jeune femme eut un profond soupir et observa la rue dans laquelle ils venaient de sortir.

– J'aime beaucoup ce quartier, dit-elle. On ne se croirait pas à Manhattan mais dans une petite ville de Nouvelle-Angleterre.

– Je veux que tu te sentes bien ici. Nous y passerons la plus grande part de notre temps. Mais il y a aussi une maison en Californie, près de Carmel. Et j'ai également l'intention d'acquérir une certaine villa sur les pentes de Nice, ajouta Dolph en lui prenant la main.

– Ce serait possible? demanda Belinda, émerveillée.

– Je ferai tout pour l'avoir, en tout cas.

Une fois dans la voiture, il prit la direction du nord.

– Bear m'a demandé ce qui nous avait séparés, fit-il bientôt remarquer.

– Tu peux lui répondre que c'est ma faute, répondit la jeune femme. De l'orgueil mal placé.

– C'était plutôt la mienne, en fait. J'aurais dû t'épouser le lendemain de notre rencontre. Ça doit paraître un peu fou de dire une chose pareille, non?

– Non. Mais j'étais peut-être un peu trop jeune à l'époque.

– Tu n'étais qu'une petite fille, ironisa-t-il.

– Mais mes sentiments pour toi n'avaient rien d'enfantin.

– Exact. Et tu devenais une vraie femme dans mes bras.

Belinda tremblait tellement de désir qu'elle en serait presque tombée de son siège. Il fallait réagir.

– Et si tu m'en disais un peu plus à propos du mariage? demanda-t-elle tout de go.

– Quoi?

– Eh bien, si ce sera le grand jeu ou bien quelque chose d'intime, qui seront les témoins et si je les connais.

– Ma chérie, nous allons nous marier. C'est l'essentiel. Quelle importance de savoir qui sera là ou non, l'assistance et le reste?

– Les témoins, Dolph. C'est la loi.

Il eut brièvement l'air surpris puis se mit à sourire.

– C'est vrai. J'avais oublié.

– Tu devrais demander à Peter et à Damienne, ainsi qu'à Bear et à Christine, non?

– Ce serait une bonne idée, en effet, répondit-il.

– Je les aime beaucoup et leurs enfants sont adorables. Ce n'est pas étonnant que tu les considères comme ta famille.

– Ils sont entrés dans ma vie peu après que nous nous soyons perdus de vue toi et moi, raconta Dolph. J'ai souvent pensé que je ne m'en serais pas sorti sans leur aide. Tu ne m'en veux pas d'avoir oublié ce détail des témoins, j'espère?

– Je ne te lâcherai plus jamais, Dolph Wakefield, déclara la jeune femme. Tu es mon soleil, ma vie, mon oxygène. J'ai trop besoin de toi.

– C'est bien parlé, murmura Dolph en lui prenant la main pour la baiser avec reconnaissance.

Une assurance infinie l'emplissait peu à peu de sa chaleur confiante. Il savait désormais que rien ne pourrait plus jamais l'arracher à cette femme. Même si un jour elle le repoussait, il resterait quand même et trouverait le moyen de la ramener à lui. Il avait pressenti toutes ces choses dès le premier jour, à Nice, et rien n'avait altéré cette quête essentielle de la vérité.

– J'ai été complètement folle de te quitter, murmura Belinda. Mes idées chevaleresques de l'époque ne valaient rien et ont bien failli réduire

116

nos vies au néant. Je ne recommencerai jamais un pareil cirque. Tu me crois?

Il approuva du chef, la gorge nouée par l'émotion.

– Tu me ressuscites au soleil et à la vie, Belinda. Je vais même peut-être me mettre à pleurer.

– Ce serait un sacré spectacle, dit-elle d'une voix profonde. Roule plus vite, Dolph, mais n'attrape pas de contravention.

– A vos ordres, madame.

Il écrasa résolument la pédale d'accélérateur.

7

BELINDA ressortit de la salle de bains avec un sentiment de malaise et de timidité. Toute la chaleur que Dolph lui avait procurée au cours de la soirée et pendant le retour à la maison s'était dissipée.

Le malentendu avait commencé lorsqu'elle lui avait demandé de repasser chez elle prendre une chose qu'elle n'avait pas voulu préciser. Son mécontentement et sa nervosité l'avaient agacée à son tour. Une fois dans son appartement, la jeune femme avait extrait d'un tiroir une tunique de soie diaphane qui coulait entre les mains comme une eau couleur crème. Elle avait acheté cette pièce de prix à Paris des années auparavant dès ses premiers gains avec le professeur Delinde, mais ne l'avait jamais portée jusqu'à présent.

Lorsque Belinda l'avait retrouvé dans la voiture, Dolph avait jeté un regard bref sur la pochette contenant le foulard mais sans poser de questions. Ils n'avaient plus échangé un mot jusque chez lui.

La jeune femme se retrouvait maintenant dans la chambre qu'il lui avait indiquée, en train de revêtir la pièce de soie qui glissa sur elle ainsi qu'une caresse. Elle s'examina dans le miroir :

elle voulait que tout soit parfait pour s'offrir à Dolph.

Sachant qu'elle ne pouvait s'attarder davantage, elle ouvrit la porte qui donnait sur la chambre où il l'attendait, assis dans un fauteuil devant la cheminée. Il se leva à son entrée.

– Te voilà enfin, dit-il d'une voix émue. A force de dérouler cette séquence dans ma tête, j'avais échafaudé trente-six dialogues possibles. Mais je les ai tous oubliés.

– Cette couleur te va à merveille, déclara-t-elle à la vue du pyjama de soie bleu vert qu'il avait enfilé. C'est très sexy.

– Tu es tout simplement bouleversante, ma chérie, répondit-il en lui tendant la main. Viens, n'aie pas peur.

– Excuse-moi, je n'y peux rien. C'est que je ne t'avais jamais vu en pyjama.

– C'est vrai, admit-il en riant et en se rapprochant d'elle un peu plus. Tu es tellement belle.

– Pourquoi suis-je aussi anxieuse, Dolph ? Ce n'est pourtant pas notre première fois.

– Peut-être que si, murmura-t-il. Peut-être que ce sera toujours la première fois entre toi et moi.

Il effleura le cordon qui nouait à son cou la tunique transparente et celle-ci s'ouvrit sur son corps comme une rivière dont les eaux se divisent autour d'une île.

La légère caresse la traversa d'un frisson velouté.

– Je vais te paraître ridicule, dit la jeune femme en baissant les paupières, mais j'ai un petit peu peur.

– Moi aussi, répliqua Dolph en faisant glisser le voile de ses épaules. C'est un moment si important.

– Tu as eu bien des femmes, Dolph. Moi je n'ai pas connu d'autre homme que toi. C'est pour ça que je veux que ce soit le mieux possible.

– Moi aussi, chuchota-t-il.

Transporté d'un tel aveu, Dolph l'attira contre lui et la serra de toutes ses forces. Belinda comprit à cet instant que leurs destins étaient liés depuis la nuit des temps. Nés l'un pour l'autre, ils ne pouvaient que se retrouver pour l'éternité. Elle n'avait rien oublié des moments passés à Nice ni de cette difficulté qu'elle avait eue parfois à discerner son corps du sien tant ils s'imbriquaient et se confondaient ensemble.

La jeune femme s'ouvrit à la passion, prête à recevoir de lui l'étincelle qui mettrait le feu aux poudres. Mais au lieu de cela, Dolph la parcourait de baisers légers et fureteurs, comme s'il attendait qu'elle prît elle-même l'initiative.

Cela la fit sourire. Se collant contre lui sur le fauteuil , elle lui mordilla les lèvres en guise de jeu préliminaire.

Dolph la désirait de façon élémentaire et animale, mais se contraignit au calme pour que la jeune femme prenne confiance en lui avant de s'engager davantage. Sa maîtrise de soi passerait ce soir la plus rude épreuve jamais connue.

– Te voilà bien traditionnel ce soir, observa Belinda en se battant contre les boutons de sa veste de pyjama. Tu ne portais jamais rien avant, si je me souviens bien.

– Tu te souviens très bien, sourit-il au moment où elle vint enfin à bout de sa veste pour faire courir des ongles sur sa poitrine bouclée d'une toison dorée.

– C'est terrible de sentir monter le désir, n'est-ce pas? fit la jeune femme quand elle l'entendit gémir sous la caresse.

– Le mien ne monte pas, il galope, rétorqua Dolph.

Elle roucoula de rire en réponse et cela souleva ses seins comme une vague ondoyante et tentatrice à laquelle il ne put résister.

– Mon amour, mon amour, répétait-elle à n'en plus finir tandis qu'il l'embrassait et la caressait de toutes les façons possibles pour se rassasier de ses formes souples et généreuses.

Il la souleva alors dans ses bras pour la porter près du lit. Là, il l'assit sur le bord et parcourut son buste de sa bouche fiévreuse en descendant inexorablement vers son ventre. Belinda eut à peine conscience de lui livrer passage entre ses genoux. Elle se sentit seulement frissonner lorsqu'il lui retira sa tunique de soie : serait-ce aussi merveilleux qu'à l'époque ? s'interrogeait-elle, soudain gagnée par l'incertitude.

Dolph se méprit sur son tremblement.

– Ne prends pas froid, ma chérie, souffla-t-il en la glissant sous les couvertures.

– Tout va bien, chuchota-t-elle avec un sourire confiant.

Les doigts de Belinda lui striaient la peau de traits de feu se communiquant au brasier qui crépitait en lui. Se libérant du reste de son pyjama, il pressa son corps nu contre le sien avec une passion redoublée.

Belinda se déploya sous lui comme une fleur. Dolph l'emportait avec lui sur une île d'amour paradisiaque dont ils foulaient ensemble les chemins inattendus et sinueux.

La jeune femme se tendait comme un arc sous ses assauts. Elle le sentait et le touchait de chaque pore de sa peau de façon familière et nouvelle à la fois. Elle vint d'elle-même à sa rencontre au rythme des douces pulsations du désir. Haletante, Belinda s'abandonna au fil de la marée qui la soulevait jusqu'à lui et l'accueillit au plus profond d'elle-même.

Ils se prirent l'un l'autre dans un élan qui pulvérisa instantanément leurs souvenirs. Sans doute n'avaient-ils jamais autant donné qu'en cet instant-là, montant toujours plus haut vers le sommet de leur amour... jusqu'à la déflagration de l'extase et du plaisir.

Tout ensuite ne fut plus que silence. Le calme de la chambre était tel que le moindre souffle le déchirait comme un coup de tonnerre.

Le temps égrenait ses minutes. Ils revinrent peu à peu à la réalité. Belinda avait cru savoir à quoi s'en tenir. L'amour de Dolph n'avait cessé de palpiter en elle depuis Nice. Mais il l'avait aujourd'hui disloquée et elle s'en trouvait irrémédiablement changée.

Dolph se lova amoureusement contre elle. Il voulait l'aimer encore et encore, la chérir et la garder près de lui pour toujours.

Le sommeil les enveloppa dans ses plis chauds et douillets.

La nuit se fit plus profonde et plus noire pour allumer au firmament l'éclat scintillant des étoiles. Puis l'horizon pâlit, se teintant de gris bleu pour annoncer l'aube approchante.

Belinda s'éveilla et tourna dans les bras de Dolph, heureuse et reposée. Elle rencontra son œil souriant.

– J'aime te regarder dormir, murmura-t-il, contemplant sa beauté exotique et naturelle en même temps.

Pour sa part, la jeune femme le trouvait terriblement attirant dans la lumière pâle du matin. Il était sensuel et puissant comme un tigre au repos. Son regard mélangeait des lueurs alternativement viriles et enfantines.

— Ce fut une nuit merveilleuse, Belinda. Ne l'oublions jamais, dit-il en la dressant sur lui pour voir à loisir ses cheveux bruns cascader sur ses épaules. J'ai dans l'idée de vouloir t'aimer jour et nuit, tu sais.

— C'est une bonne idée qui me va tout à fait, répondit-elle en riant de bonheur. Je l'adopte sur-le-champ.

Le désir reprit entre eux son pouvoir et la passion les emporta de nouveau dans son incandescence.

Le temps qu'ils se lèvent et se douchent, tous deux étaient déjà en retard sur leur journée.

— J'avais rendez-vous avec William il y a une heure, se souvint Dolph en regardant sa montre.

— Et Lydia doit être en train de s'arracher les cheveux devant mon bureau, déclara joyeusement Belinda.

On ferait mieux d'y aller, décida Dolph sans bouger d'un pouce. Bien sûr tu pourrais annuler tes rendez-vous du matin et je pourrais envoyer William se faire cuire un œuf. Que dirais-tu d'une escapade à la campagne?

— J'en dis que nous sommes devenus fous pour de bon, mais qu'il faut bien s'y faire, répondit-elle avec enthousiasme. C'est parti, Dolph. Allons-y.

— D'accord. Nous passerons d'abord chez toi et j'emporterai un peu du délicieux café de Lorette pendant que tu prendras ton sac de sport.

— Avec ma raquette?

— Plutôt ton maillot de bain. Nous n'allons pas à la mer, mais notre imagination fera le reste, répondit Dolph en l'enlaçant.

— Nous n'arriverons jamais à partir, fit la jeune femme dont le pouls se remit à battre plus vite et qui le repoussa.

— Ce n'était qu'un simple échauffement, expliqua Dolph.

Ils sortirent. Le ciel était d'un bleu sans tache, et l'air extérieur frais et piquant à souhait.

— Une journée superbe, s'exclama Belinda en montant dans la voiture où elle se mit à dévisager Dolph d'un air mystérieux.

— Qu'y a-t-il? s'inquiéta ce dernier.

— Tu es magnifique, fit-elle alors. Tu ressembles à un guerrier viking avec tes cheveux blonds.

La traversée de Manhattan leur sembla féerique. C'était là leur royaume et ils y vivaient seuls au monde.

— Tu veux que nous allions vivre en Californie, Dolph?

— Ton travail est ici. Bien sûr, nous nous débrouillerons pour sortir de New York. Tu pourras venir avec moi de temps en temps

— De temps en temps? protesta-t-elle. Tout le temps, tu veux dire!

— Comme tu voudras, ma chérie.

Parvenus chez elle, ils se ruèrent dans l'ascenseur et Lorette vint leur ouvrir. Elle se campa en travers de la porte avec une expression contrariée, poings sur les hanches.

— Vous n'avez pas appelé, mademoiselle. Ce n'est pas bien et je... Monsieur! s'interrompit-elle en apercevant Dolph. Je sais où elle était, maintenant. Mais vous auriez dû prévenir, monsieur.

— Je ferai attention à l'avenir, Lorette. En tout cas, je suis heureux de vous revoir.

— Moi aussi, croyez-moi, grommela Lorette en

124

haussant les épaules. Elle était malade sans vous que c'en était une vraie misère, monsieur.

Dolph éclata de rire et Belinda fusilla Lorette du regard.

— Vous êtes renvoyée, déclara-t-elle tout de go.

— Monsieur sera bientôt le patron et nous en reparlerons, rétorqua la vieille domestique. Vous voulez déjeuner?

— Non, nous allons nous baigner, fit Dolph en gratifiant la jeune femme d'une petite tape sur les fesses. Tu vois bien qui sera le patron après notre mariage.

— Espèce de macho sexiste! s'offusqua celle-ci.

Dolph courut vers l'escalier et elle partit à sa poursuite.

— Bonne mère, les voilà qui jouent comme des enfants, fit Lorette en hochant la tête de manière fataliste avant de retourner dans sa cuisine.

Quand ils quittèrent l'appartement un peu plus tard, ce fut bras dessus, bras dessous, Dolph portant le sac de Belinda. Parvenue devant la voiture, celle-ci se tourna brusquement vers lui.

— Je veux que tu saches qu'il n'y a jamais eu aucun homme dans ma vie, Dolph. Juste toi, c'est tout. Excuse-moi, ajouta-t-elle en le voyant rougir de confusion, je ne voulais pas t'embarrasser en te disant ça.

— Au contraire, j'en suis ravi. Tu sais que j'ai connu d'autres femmes. Mais tu n'as jamais quitté mes pensées, Belinda, et il m'était impossible de m'engager puisque tu avais emporté mon amour avec toi sans espoir de retour.

— Je suis tellement heureuse, murmura la jeune femme.

— Moi aussi, mon amour.

— J'ai vu cinq fois *L'Homme de pierre*, tu sais?

— Je l'avais écrit pour toi.

Belinda se mit alors à pleurer, tant pour son bonheur présent que pour la tristesse du temps à jamais perdu.

— Je te cherchais partout, chuchota Dolph. Tout mon être te réclamait et te réclame encore aujourd'hui.

— Je crois en toi comme en ma propre vie, répondit Belinda.

Elle pencha alors son beau visage vers le sien et embrassa l'homme qu'elle aimait avec toute la passion dont elle était capable.

8

LES jours suivants ne furent qu'un merveilleux chaos. Dolph passait son temps soit dans le bureau de Belinda soit en conversations téléphoniques avec elle. La jeune femme se rendait bien compte que tous ses collaborateurs la croyaient devenue folle. Mais elle ne faisait plus grand cas de l'opinion des autres, n'ayant jamais connu un tel enchantement.

Il lui arrivait de passer des heures au bout du fil avec Damienne ou Christine à discuter de la robe de mariée que la célèbre styliste française Karine était en train de créer spécialement pour elle. Elle réalisait combien ces petits riens féminins lui avaient manqué pendant ces dix ans de labeur acharné.

Lydia était tantôt enthousiasmée par la perspective du mariage, tantôt désespérée par l'attitude désinvolte de Belinda.

— Vous auriez au moins pu jeter un coup d'œil à la liste de mariage, se plaignit la secrétaire ce matin-là. C'est demain le grand jour. Pourquoi est-ce moi qui suis aussi nerveuse et pas vous?

Le téléphone sonna à cet instant. Belinda décrocha.

— Allô? Quoi? le chauffeur pour le mariage?

s'étonna la jeune femme avant de cacher le combiné de la main pour s'adresser à Lydia. Encore une chose que Dolph a dû oublier de me dire, souffla-t-elle.

Lydia leva les yeux au ciel et prit la communication.

— Allô, vous disiez donc? Ah, oui. Pourriez-vous m'indiquer le nom de votre maison et les services que vous proposez pour le mariage de Mlle Bronsky? Vous êtes Les Limousines Gotham, nota-t-elle sur un bout de papier. Très bien. Vous passeriez prendre Mlle Bronsky...

— Ainsi que Mme Kenmore et Mme Larraby, ajouta Belinda.

— Je vais leur dire, souffla Lydia. Oui, oui, je vous écoute, cher monsieur. Vous pourriez passer à quel moment?

Elle tournait vers sa patronne un œil interrogatif.

— Chez Karine's, Cinquième Avenue. Autour de onze heures demain matin, indiqua Belinda. Je pense que nous aurons fini l'essayage de ma robe de mariage.

Lydia répéta ces indications dans l'appareil et raccrocha.

— J'espère que tout se passera bien, soupira-t-elle.

— Tout ira parfaitement bien et tu danseras jusqu'à l'aube à la réception, rétorqua Belinda en riant.

— Je ne vous ai jamais vue avec une forme pareille, avoua la secrétaire ébahie.

— Le bonheur peut vous métamorphoser, c'est connu!

Sur ce bon mot, Belinda se remit au travail mais plus d'une fois elle se reprit à sourire dans le vague quand l'image de Dolph passait dans ses pensées.

Ce soir-là comme souvent depuis que Belinda avait emménagé chez Dolph une semaine plus tôt, les fiancés étaient enlacés sur le grand canapé et bavardaient en écoutant de la musique.

— Demain à cette heure-ci, mon cœur, nous serons dans l'avion pour Paris, lui chuchota Dolph à l'oreille. Évidemment, Lorette ne sera pas avec nous, mais nous retrouverons notre ancien petit nid.

— Oh, Dolph, je n'arrive pas à croire que cette villa nous appartient. Elle a tellement de signification pour nous. De toute façon j'ai l'impression que Lorette ne me manquera pas beaucoup, susurra-t-elle en s'enfouissant le visage dans son cou.

Cela fit rire Dolph qui la pressa un peu plus contre elle.

Ils firent l'amour cette nuit-là avec une frénésie brûlante qui les laissa l'un et l'autre pantelants.

— Debout, petite paresseuse, souffla Dolph en la réveillant d'un baiser le matin. Je croyais que tu avais un essayage.

Belinda roucoula en tournant sur le côté. Puis elle poussa un cri en voyant l'heure et sauta du lit d'un bond de gazelle.

— Pas si vite, intervint Dolph en la rattrapant au passage. Je veux t'embrasser une dernière fois tant que tu es encore mademoiselle Bronsky.

— Mais je vais être en retard, protesta faiblement la jeune femme. J'ai rendez-vous avec Damienne et Christine.

Les lèvres de Dolph sur ses épaules attisèrent

les braises couvant encore en elle. Leurs bouches se rencontrèrent pour s'embrasser de manière avide et passionnée.

— Tu parlais juste d'un baiser, dit-elle toute frissonnante.

— J'ai menti.

Belinda ne pouvait se détacher de lui. Son odeur l'enivrait. Il régnait en despote sur elle et sur ses sens.

Le cœur de Dolph battait la chamade, et pourtant il ne s'était jamais senti aussi calme et apaisé. Seule Belinda pouvait réaliser ce paradoxe. Elle l'affolait et le rassurait en même temps. Et si le cauchemar d'être à nouveau séparé d'elle revenait parfois le hanter, c'était de façon de plus en plus lointaine et sporadique.

— Tu es un menteur, mais tu es à moi, murmura-t-elle en abandonnant son corps à la caresse de ses lèvres humides.

Lorsqu'ils parvinrent enfin à s'arracher du lit, l'heure de son essayage était presque arrivée.

— Je vais téléphoner chez Karine's pour leur dire de commencer l'ajustage sur Damienne ou sur Christine, proposa Dolph avant de lui donner un ultime baiser. Reviens vite. Je veux absolument t'épouser.

— Je t'aime, Dolph Wakefield, martela Belinda en plongeant son regard dans le sien, et je n'attends qu'une chose au monde : devenir ta femme pour toujours.

Elle avait déjà disparu par la porte et dévalait l'escalier.

— Ce n'est pas juste, cria Dolph du haut des marches. Tu ne peux pas me tenir un discours aussi provocant et t'enfuir l'instant d'après... surtout à cette allure dans un escalier où tu pouvais te casser la jambe!

La chance était avec Belinda. Elle trouva immédiatement un taxi qui parvint malgré les embouteillages à la déposer chez Karine's avec seulement vingt minutes de retard.

— Ah, voici enfin la promise, l'accueillit gaiement Karine. Connaissant M. Wakefield, j'imagine qu'il ne voulait plus vous lâcher. C'est quelqu'un, ne trouvez-vous pas?

C'était bien plus que ça pour la jeune femme. Dolph était simplement devenu tout l'univers.

— En tout cas, poursuivit la fameuse styliste, estimez-vous heureuse d'être aimée d'un tel homme. La plupart d'entre eux sont tellement ennuyeux!

A cette dernière remarque répondirent les rires de Damienne et de Christine au fond de l'atelier d'essayage.

— Riez, mesdames, riez, ironisa Karine. Vous avez des maris hors pair. Toutes les femmes n'ont pas votre chance, hélas. Venez maintenant, nous allons travailler. Nous aurons quelques retouches à faire sur vos robes et surtout sur celle de la mariée, mais ce ne sera pas très long.

Peu de temps plus tard en effet, les trois femmes pirouettaient au centre du salon d'essayage dans des robes aux tissus magnifiques.

Karine libéra tout d'abord Damienne et Christine.

— A tout à l'heure à l'église, lança Christine. Mon Dieu, que je suis nerveuse... Presque plus qu'à mon propre mariage.

— Tu avais bien besoin de dire ça, la tança aussitôt Damienne. Allons plutôt préparer les enfants.

Belinda resta seule avec Karine, qui la fit pivoter de droite et de gauche et d'avant en arrière pour étudier les derniers ajustements nécessaires.

— Un point ici, un autre là... et ce sera parfait, conclut finalement la grande professionnelle. Je vous ferai parvenir la robe chez vous en début d'après-midi. Cela vous va ?

— Très bien. Merci pour tout, Karine.

— Je vous en prie, mademoiselle. Recevez tous mes vœux de bonheur.

Belinda flottait sur un petit nuage en sortant sur la Cinquième Avenue. Avant d'avoir eu le temps d'appeler un taxi, elle vit glisser à sa rencontre une Cadillac noire dont le conducteur lui fit signe derrière les vitres fumées. « Sans doute Les Limousines Gotham » pensa-t-elle en se souvenant de l'arrangement conclu la veille par Lydia. De l'intérieur du véhicule, le chauffeur lui faisait maintenant signe de monter.

— Excellente idée, déclara la jeune femme en s'installant sur la banquette arrière. Trouver un taxi à cette heure-ci aurait relevé de l'exploit.

Le chauffeur approuva lentement de la tête et se glissa dans la circulation dense.

Belinda se laissa aller à rêver. Elle serait Mme Wakefield dans quelques heures. N'était-ce pas merveilleux ? Elle qui avait attendu si longtemps cet instant frémissait à l'idée qu'un ultime obstacle pût venir s'interposer entre elle et son bonheur. Mais non, c'était trop stupide. La jeune femme chassa ces pensées.

Quand la voiture s'arrêta, repartit, puis stoppa encore dans les encombrements, Belinda s'efforça de ne pas s'inquiéter. Elle avait tout le temps. L'essentiel était de ne pas se retrouver complètement coincée dans un embouteillage.

Quand le chauffeur vira dans une rue adjacente, elle pensa qu'il prenait un raccourci pour éviter les grands axes. Mais quand ils eurent tourné plusieurs fois à droite et à gauche, enfilant rue après rue en direction du sud-ouest, la jeune femme se retrouva perdue. C'est en apercevant sur la gauche les eaux de l'Hudson qu'elle commença à s'alarmer. Ils étaient bien loin de la route normale.

— Dites-moi, chauffeur, j'ai l'impression que nous avons beaucoup dévié par rapport à ma destination? observa-t-elle.

— Tout va bien, madame. Je connais le chemin.

— C'est bon, fit-elle en se renfonçant dans la banquette et en laissant de nouveau ses pensées voler vers Dolph.

La Cadillac stoppa quelques minutes plus tard, tirant Belinda de sa rêverie. Ils étaient sur les docks du fleuve!

— C'est le moment de sortir, fit la voix du chauffeur avant qu'elle ait pu faire la moindre remarque.

L'homme descendit de la voiture pour lui ouvrir la portière.

— Toi! fit-elle dans un cri étranglé en découvrant son visage. Qu'est-ce que tu fais ici, Hector? Où sommes-nous? Et pourquoi conduis-tu ce taxi?

— Que de questions, chère petite sœur! D'abord, ceci n'est pas un taxi. C'est ma voiture. Tel que tu me vois, je suis Les Limousines Gotham, une société de location purement imaginaire créée pour l'occasion. C'est moi qui ai appelé ta secrétaire hier. C'était un piège grossier, mais je t'ai attrapée.

Il éclata de rire et la saisit par le bras pour la tirer à l'extérieur. Belinda se souvint avoir cru un peu vite que Dolph avait pris contact avec une société de location de voitures avec chauffeur. Elle l'avait même dit à Lydia.

133

– Je n'apprécie pas du tout, Hector. Si tu te trouves drôle, sache que c'est complètement raté, proféra la jeune femme en essayant de libérer son bras.

– Je me fiche pas mal de ce que tu apprécies, rétorqua férocement Hector en resserrant son emprise.

Belinda resta sidérée un court instant. L'endroit était désert, hostile et isolé. Elle tenta de le repousser.

– Ne fais pas l'idiote, Belinda. Suis-moi bien gentiment. Ceci est un revolver et il est bien chargé.

Incrédule, la jeune femme aperçut l'arme dans sa main.

– Que veux-tu donc? Je me marie cet après-midi et...

– Pas avant que tu m'aies signé l'acte de vente de Linda Cosmetics International, coupa Hector en grimaçant.

Elle retint son premier réflexe de l'envoyer au diable.

– Hector, tu sais parfaitement que je ne pourrais pas le faire ici aujourd'hui, même si je le voulais. Il faut des contrats de vente légalement enregistrés et préparés et...

– J'ai un papier que tu vas signer. Ensuite, tu pourras aller épouser ton M. Muscle à la gomme avec lequel tu as couché à Nice.

La jeune femme s'efforça de nouveau à garder la tête froide. Elle venait de lire dans son regard une haine viscérale qui n'avait rien à voir avec la méchanceté malicieuse qu'elle connaissait depuis toujours.

La peur la mordit au plus profond du ventre.

Dolph avait failli appeler Belinda chez elle à cinq reprises, mais il s'en était retenu à chaque fois. Elle devait être occupée à s'habiller. Il aurait dû s'arranger pour s'habiller chez elle lui aussi. Il ressentait le besoin d'être à ses côtés.

A treize heures, Peter et Bear vinrent le rejoindre.

– Regarde-le, fit Bear d'un air moqueur. Il est plus nerveux qu'un steak de dernière catégorie. T'en fais pas, Dolph. On y est tous passés. Je me souviens, j'étais sûr que Christine allait...

– Qu'est-ce qu'il y a? l'interrompit Peter qui venait de voir le visage de leur ami prendre l'aspect d'un masque de pierre.

– Je ne sais pas, répondit Dolph. Rien. Les nerfs, sans doute.

Belinda l'avait quitté une fois, faisant de sa vie un enfer.

– Appelle-la si tu en es à ce point, suggéra Peter d'un sourcil attentif en s'installant posément dans un fauteuil. Tu lui parles une minute et tu te sentiras tout de suite beaucoup mieux.

Dolph hésita une fois de plus, puis se décida.

– Lorette? C'est Dolph. Belinda n'est pas là? Non, elle n'est pas ici non plus. Non, calmez-vous. Il n'est pas question d'accident. Juste un léger retard, c'est tout. Elle va arriver d'une minute à l'autre. Attendez-la sans vous inquiéter.

Les traits glacés et impénétrables, Dolph raccrocha pour composer aussitôt le numéro de Karine's. La communication fut courte et concise. Il replaça le combiné.

– Elle a quitté Karine's depuis plus d'une heure, indiqua-t-il en se tournant vers ses amis. Quelque chose ne va pas. J'aurais dû m'écouter et l'appeler plus tôt. Qu'est-ce qui a bien pu se passer, bon sang!

– Elle a toujours voulu vivre ce moment, déclara Peter en s'avançant vers lui. Ça ne vient donc pas d'elle. Et si ça ne vient pas d'elle, c'est que quelque chose la retient. Vu?

– Peter a raison, approuva Bear.

– Je sais, prononça Dolph d'une voix blanche. Mais quelque chose la retient. Et je veux savoir ce que c'est.

Le téléphone retentit. Il le saisit aussitôt.

– Shim? Où est-elle? Bon, j'y vais. Je crois savoir qui c'est; son demi-frère Hector, d'après ta description. Mais va savoir pourquoi il l'a emmenée là-bas. Salut et merci, conclut-il en raccrochant avant de se tourner vers ses amis. Restez ici. Shim Locke va rappeler. L'un de ses hommes a vu une Cadillac noire suivre Belinda ce matin puis l'attendre devant chez Karine's. Quand elle est sortie, le type l'a emmenée vers les docks.

– Écoute, Dolph, intervint Peter. On va y aller Bear et moi. Il vaut mieux que tu restes. Au moins, tu ne tueras personne.

– Je vais la chercher, martela Dolph. Je l'ai perdue une fois déjà. Je ne la perdrai pas une deuxième.

– C'est le jour de ton mariage, déclara Bear avec sérieux. Il serait terrible de te mettre du sang sur les mains aujourd'hui.

– Bear a raison, Dolph, tu le sais, insista Peter.

Dolph marqua un temps de réflexion, puis arracha son costume de cérémonie pour passer un jean et des baskets.

– C'est vrai, dit-il. Je me marie aujourd'hui. J'épouse Belinda et rien ne pourra m'en empêcher. Prenez l'appel de Locke.

La porte d'entrée claqua. Il avait déjà disparu.

– Il sait qui a kidnappé Belinda, commenta

Bear d'une voix fataliste, et il va le mettre en charpie.

— Pourvu qu'il garde la tête froide, soupira Peter. Mais je ne lui reprocherai rien. Je sais trop ce qu'on peut ressentir dans ces cas-là. Toi aussi, d'ailleurs.

— Je vais appeler Christine. Avec Damienne, elles pourront aller à l'église et prendre des mesures d'attente. On contactera Shim Locke ensuite, pour savoir où est Dolph.

— Bien pensé, Bear, approuva Peter.

Belinda avançait le long du décor nu et hostile d'un ponton. Au loin, la statue de la Liberté levait le bras comme pour un adieu de mauvais augure.

— Continue d'avancer et n'essaie pas de me jouer un tour, aboya Hector. J'ai choisi cet endroit parce que personne n'y vient jamais. On ne t'entendrait même pas si tu criais et en plus ça me contrarierait beaucoup.

— Je me fiche de te contrarier, déclara la jeune femme en faisant soudain volte-face. Tu n'es qu'un imbécile, Hector.

La gueule du revolver se releva mais elle ne cilla même pas. Au temps de leur enfance, Hector avait coutume de s'acharner sur plus petit que lui, mais s'en laissait facilement imposer par ceux de son âge.

— Écoute-moi, poursuivit la jeune femme. Même si je te signe un morceau de papier certifiant que je te cède ma part de la société, tu n'auras aucune garantie que le comité d'administration l'accepte. Toute entreprise bien gérée possède un système de contrôle pour parer à ce genre de malversation.

— C'est pourquoi tu vas me signer un chèque au

porteur ainsi qu'une légation universelle de la Linda Cosmetics, rétorqua l'autre en lui faisant signe d'avancer jusqu'à un bateau amarré au bout du ponton. Ce n'est pas un gros bateau, mais il tient la houle du large et cela nous suffira amplement.

Belinda frémit au ton de sa voix. Sa vie était vraiment en danger! Comment avait-elle pu être stupide au point d'ignorer qu'il pouvait un jour se révéler dangereux? Elle jeta un coup d'œil à l'eau noire et glacée, et se dit qu'elle avait quand même une chance. Hector avait toujours surestimé ses capacités et la fiabilité de ses projets les plus baroques... qui d'ailleurs échouaient invariablement. Celui-ci comportait certainement une faille qu'elle pouvait exploiter.

Une fois sur le bateau, il la poussa brutalement dans la coursive descendant vers une cabine intérieure de bonne taille.

– Depuis combien de temps as-tu ce bateau? s'enquit la jeune femme pour se donner le temps de réfléchir et de se concentrer sur ses chances.

– Depuis peu. Je l'ai acheté d'occasion avec ta carte de crédit, petite sœur.C'est le plus gros achat que j'ai fait et la somme devrait paraître sur ton compte ce mois-ci. Je me suis tenu à des achats modestes jusqu'ici, pour ne pas éveiller ton attention. J'imite ta signature à la perfection et tes comptables n'y voient que du feu. Ils sont un peu trop laxistes, mais cela changera dès que je serai aux commandes de ta société.

Belinda était stupéfaite. Il parlait comme si elle n'avait pas été là, prenant son rêve pour la réalité. Son regard reflétait une lueur de folie et sa bouche était agitée en coin d'un tic nerveux. Avait-elle jamais su véritablement qui était Hector?

138

— Ainsi donc, tu allais te marier aujourd'hui? reprit-il en grimaçant. Et je n'étais même pas invité? Ce n'est pas bien, Belinda. Qu'auraient pensé papa et maman?

— Je n'en ai pas la moindre idée, rétorqua-t-elle.

— Vraiment? s'écria-t-il sauvagement. Tu étais leur petite chérie pourtant. Ma propre mère te préférait à moi et te défendait à tout propos. J'avais droit à la moitié de cet argent. Au lieu de ça, on t'a tout donné sans rien laisser au pauvre Hector.

— Cet argent venait de ma mère. C'était mon héritage personnel et mon père était d'accord. D'ailleurs il y avait juste assez pour me permettre de commencer mes études. Rien à voir avec la prétendue fortune que tu réclames depuis des années.

— Tu mens. Tu m'as toujours menti et eux aussi, écuma-t-il en jetant alentour un regard torve, à la recherche d'une corde. Il faut que je t'attache. Ensuite nous prendrons la mer.

La jeune femme frissonna. S'il l'attachait et quittait le port pour le large, toutes ses chances d'évasion étaient compromises. Personne ne saurait jamais ce qu'elle était devenue et Dolph croirait qu'elle l'avait volontairement abandonné. Cette idée la rendit malade; elle devait trouver une solution à tout prix.

— Si tu savais comme j'ai été content quand ils sont morts, reprit Hector d'un ton féroce. Ton père voulait me renvoyer et ma chienne de mère l'aurait laissé faire!

— Je n'ai jamais rien su de tout ça, murmura-t-elle.

— Peu importe? Nous allons partir pour de

bon. Monte avec moi dans la cabine de pilotage. Je t'attacherai là-haut jusqu'à ce que tu me donnes mon argent.

Belinda le précéda sur le pont, cherchant frénétiquement un objet qui pût lui servir d'arme. Dans la cabine de pilotage, elle repéra tout de suite un extincteur d'incendie fixé à la paroi. Hector s'installa à la barre, étudiant les instruments de bord tout en la gardant en joue avec son revolver.

La jeune femme vint lentement se placer devant l'extincteur pour le cacher à sa vue et essaya de le décrocher en tâtonnant dans son dos pour en trouver le point d'attache.

Elle le jeta vers lui d'un coup en y mettant toute ses forces.

Son instinct avertit Hector à la dernière seconde. Il leva les bras pour se protéger, mais le poids de l'objet suffit à le déséquilibrer, lui faisant lâcher son arme.

Belinda passait déjà la porte de la cabine quand elle l'entendit pousser un cri de rage suivi d'une bordée de jurons. Elle sauta sur le pont qu'elle traversa en un éclair pour bondir sur le quai et partir dans un sprint effréné.

Un coup de feu claqua, la manquant de peu.

Elle courut avec toute l'énergie du désespoir pour tenter de lui échapper. Mais Hector, déjà lancé à sa poursuite, la rattrapait inexorablement. Elle était en vue du quai central et de la voie qui conduisait aux grandes avenues lorsqu'il parvint à la saisir et à la plaquer durement sur le ponton.

Sa tête heurta violemment le bois du ponton et la jeune femme sombra dans le noir.

9

DOLPH agit comme un automate. Pour ne pas perdre une seconde, il arrêta le premier taxi qui passait et tendit au chauffeur un billet de cent dollars.

– Le double si vous savez piloter, lança-t-il.

– D'accord, fit l'autre dont le sourire s'évanouit en voyant que le visage familier de l'acteur s'était métamorphosé en masque de tueur. Où.. où dois-je vous conduire?

Dolph lui indiqua la direction à suivre, vérifia le chargeur du revolver pris dans son bureau et s'efforça de chasser les images de ce qui avait déjà pu arriver à Belinda.

La traversée de Manhattan fut le pire moment de son existence. Sa tension était telle qu'il se sentait prêt à imploser de l'intérieur à tout moment et jurait en trois langues différentes tout en priant le ciel d'épargner Belinda. Le temps qu'il arrive à l'endroit approximativement décrit par l'homme de Shim Locke, Dolph était survolté.

Il sauta du taxi en tendant un second billet.

– Si je ne suis pas de retour dans une heure, prévenez la police, dit-il au chauffeur.

– Je viens avec toi, mon pote, répondit ce dernier. Je pourrais toujours t'être utile.

– Ça ne fait aucun doute, estima Dolph en jaugeant sa stature. Mais la meilleure façon de m'aider est de rester ici.

– Comme tu voudras. Mais au moindre bruit suspect je passe mon coup de fil et je viens te chercher.

Dolph s'était déjà élancé à toutes jambes le long des quais jusqu'à ce qu'il aperçût le bateau amarré à l'écart au bout du ponton. Son instinct lui souffla que tout se passait là. Il redoubla de vitesse dans sa direction, mais dut s'arrêter net.

Belinda venait de sauter du bateau sur le ponton et se relevait. Il allait l'appeler lorsqu'il vit Hector sauter derrière elle pour se lancer à sa poursuite.

Belinda! Dolph sprinta vers elle, fouetté par l'angoisse. Mais Hector la rejoignit avant lui, la jetant sur le sol.

C'est en se relevant qu'Hector aperçut Dolph. Il dégaina le revolver qui battait sur sa hanche et l'appliqua sur la tempe de la jeune femme.

– Je la tuerai s'il le faut, aboya-t-il d'une voix menaçante.

Dolph pila sur place, le cœur battant. Il inspira profondément pour dissimuler sa panique.

– Pourquoi? cria-t-il. Tu peux avoir tout ce que tu veux. Vas-y, parle. Tu veux de l'argent? Tu l'auras.

– Elle m'a pris ce qui m'appartient, glapit Hector avec une grimace pitoyable de clown aux abois.

– Dolph... murmura Belinda en revenant à elle.

– On te le rendra, répliqua Dolph en évitant de la regarder pour rester concentré sur Hector.

Il se trouvait trop loin de lui pour être sûr de le maîtriser d'un seul bond... et il la tenait toujours sous son arme!

142

— N'essaie pas de me baratiner! coassa Hector d'une voix indignée qui fit s'envoler quelques mouettes dont les cris affolés répondirent au sien.

Dolph se ramassa sur lui-même en voyant l'autre relever Belinda. La double vision de l'expression hagarde de la jeune femme et de l'entaille qu'elle avait au cou lui fit un choc.

— Tu obtiendras plus en acceptant de discuter, lança-t-il en s'efforçant au calme. Tout le monde sait que tu es ici.

Hector jeta autour de lui des regards de bête traquée.

— Je la tue si tu ne dégages pas le chemin, gronda-t-il, et tu n'auras plus qu'à repêcher son corps dans la rivière!

Dolph recula d'un pas.

— Non, Dolph, ne... supplia la jeune femme.

— Tout va bien, ma chérie, tout se passera bien, la coupa-t-il sans quitter Hector des yeux un seul instant.

— Hé, l'homme au revolver! retentit loin derrière la voix du chauffeur de taxi. J'ai appelé les flics!

Hector sursauta. Dolph profita aussitôt de la diversion.

Il bondit en frôlant Belinda au passage, agrippa la main qui tenait l'arme et la releva vers le ciel. Les deux hommes luttèrent sauvagement pour la maîtrise du revolver.

Le coup partit. La jeune femme vit Dolph chanceler brièvement puis sauter à nouveau sur Hector.

— Non, non! hurla-t-elle, saisie de terreur.

Son cri surprit les deux hommes le temps d'une seconde, que Dolph mit à profit pour cueillir Hector d'un direct à la mâchoire qui l'envoya rouler sur le sol.

— Ma chérie, dis-moi, tu es blessée? s'inquiéta tout de suite Dolph en s'élançant vers elle.

— Non, fit-elle en l'agrippant convulsivement, c'est toi qui es touché, Dolph. Je t'ai vu chanceler sous le coup de feu.

Hector rampait à reculons, grimaçant de peur et de haine. Sautant brusquement sur ses pieds, il courut au bateau.

— J'ai fait venir de l'aide, annonça le chauffeur qui accourait vers eux sur le ponton.

Effectivement, des hommes en uniforme envahissaient les docks. Belinda distingua Peter et Bear parmi eux. C'est à cet instant que le bateau vira sur lui-même en s'arrachant au ponton et s'éloigna dans un rugissement de moteur.

— J'espère pour lui qu'il n'ira pas trop loin, dit le premier policier qui les rejoignit. On annonce un avis de forte tempête en secteur sud.

— Il file à plein régime, observa Dolph en serrant Belinda contre lui. Vous feriez mieux de contacter les gardes-côtes.

— Je suis heureux que tu t'en sortes indemne, fit Shim Locke en arrivant à son tour.

— Il n'est pas indemne, il est blessé, intervint la jeune femme d'une voix inquiète.

— Ce n'est rien, je t'assure, lui répondit-il. Pas grand-chose en tout cas comparé au choc que j'ai reçu en apprenant que tu avais disparu une nouvelle fois.

— Dites donc, vous deux, s'exclama Bear. Il n'y avait pas un mariage de prévu?

— Il me semble, confirma Peter avec un sourire qui ne dissimulait qu'en partie son inquiétude. Tout va bien, Belinda?

— Je réponds oui aux deux questions, fit cette dernière. J'ai bien peur de ne pas porter la tenue

144

requise pour la circonstance, mais ma robe doit m'attendre à la maison et...

— Je t'emmène avant tout à l'hôpital, l'interrompit Dolph d'un ton sans appel. Elle a une coupure sous le menton.

— Ce n'est qu'une égratignure. Un peu de désinfectant suffira. C'est toi qui as besoin de soins, s'inquiéta-t-elle en constatant la pâleur inhabituelle de son visage et la raideur de ses gestes.

— Nous ne pouvons en être sûrs, Belinda, rétorqua Dolph en ignorant sa dernière remarque. Tu as heurté ce ponton avec une telle violence. Le diable emporte Hector pour t'avoir fait une chose pareille.

— Il était comme fou, admit la jeune femme avec un tremblement rétrospectif. Je ne l'avais jamais vu comme ça. Je pensais que mes parents étaient au courant du déséquilibre de ses comportements. Il m'avait avoué qu'ils voulaient l'enfermer, mais je n'imaginais pas qu'il fût aussi malade.

— Tout ça est fini, mon amour, je te le promets, murmura tendrement Dolph avant de s'adresser à ses amis. Elle est assez secouée comme ça. Je l'emmène à l'hôpital le plus proche.

Ils repartirent tous ensemble le long du ponton.

— Pressons, ma petite dame, pressons, fit Bear à Belinda. Nous devons t'amener à l'église et le plus tôt sera le mieux.

La jeune femme approuva d'un rire et se rendit compte que Dolph profitait de cette diversion pour prendre Peter à l'écart. Que pouvaient-ils bien avoir à se dire?

— Le type qui est dans le bateau est son demi-frère, indiqua Dolph à son ami.

— Et tu veux qu'on le mette au frais dès qu'on

remet la main dessus? s'enquit Peter d'un œil sentencieux. C'est bien ça?

— Je veux surtout qu'il ne revoie plus jamais Belinda. Il lui a fait beaucoup de mal, peut-être plus que je ne sais moi-même. Ça remonte à leur enfance, tu comprends. Je crois savoir qu'il avait même essayé une fois de la noyer, précisa-t-il avec rancœur. J'aurais dû en tirer les conséquences bien plus tôt.

— Tu savais qu'il rôdait dans le coin?

— Oui. Il était passé à son bureau pour la menacer de tout révéler sur notre union. Je n'ai rien fait parce que Belinda ne voulait pas que ça remue de vieilles choses, mais je me reproche de pas n'avoir pressenti le danger, tu vois.

— Sois tranquille, Dolph. Tout est réglé maintenant, affirma Peter en lui serrant affectueusement le bras.

Rassuré, Dolph rejoignit rapidement Belinda.

— Tu ne la lâcherais pas une minute, hein? ironisa Bear.

— Ni même une seconde, et encore moins en ta compagnie, vieille branche, rétorqua-t-il gaiement.

Dans le taxi qui les emportait vers l'hôpital, Dolph la prit dans ses bras avec une tendresse inquiète.

— Ne me fais plus jamais peur comme ça. J'ai assez d'émotions rien qu'avec toi pour pouvoir me passer d'autres frissons.

— Comment te remercier de m'avoir sauvée, Dolph? fit-elle d'une voix vibrante de bonheur.

— Rien de plus simple : en devenant madame Wakefield, répondit-il en souriant.

La visite à l'hôpital ne prit que quelques instants. La balle avait frôlé Dolph, n'occasionnant

146

qu'une blessure superficielle, et Belinda ne souffrait que d'une éraflure d'écharde.

L'heure prévue pour la cérémonie était passée depuis longtemps quand ils retournèrent chez eux.

— Je vais appeler tout le monde pour dire que nous arrivons, décida Dolph. Habille-toi vite. Eh bien, qu'est-ce qu'il y a? ajouta-t-il en la voyant plantée en haut de l'escalier.

— Ma robe. Elle est chez moi, fit-elle d'un air accablé

— Mais non, la rassura-t-il. Elle est ici. Bear m'a dit que Christine était passée chez toi pour l'apporter ici.

Son visage se détendit et elle soupira d'aise. Tout était si facile quand ils étaient ensemble. Dolph la contempla.

— Quelqu'un t'a déja dit que tu étais la plus belle? fit-il.

— Oui. Toi, répondit Belinda en rougissant.

— Alors, j'ai vraiment beaucoup de goût.

Il la désirait plus fort que jamais à ce moment, mais tenir sa main dans la sienne aurait également suffi à son bonheur.

— Je devrais me dépêcher, dit-elle sans bouger d'un pouce.

— Il y a autre chose que je puisse faire? s'enquit Dolph.

— Oui, m'embrasser.

— Tu n'as qu'à demander, répliqua-t-il en se ruant vers l'escalier pour s'arrêter une marche en dessous d'elle. Nous voici bien égaux, face à face et bouche à bouche, non?

Elle pressa longuement ses lèvres contre les siennes puis se détacha enfin de lui, à bout de souffle.

– Et nous voici également en retard, s'exclama-t-elle en lui échappant vivement comme une vraie sylphide.

Dolph entendit la porte de la chambre claquer derrière elle et resta immobile sur sa marche. Il se sentait tout d'un coup libre et soulagé. Belinda était chez lui, saine et sauve. Il fit lentement demi-tour et redescendit l'escalier, murmurant tout bas de confuses prières qui remerciaient le ciel.

Belinda contempla son reflet dans le miroir. Qui était cette femme? Ses yeux s'ornaient de cernes et son teint était plutôt brouillé. Des marques de goudron émaillaient son front là où elle avait heurté le ponton en tombant. Un désastre. Pourtant, elle était contente. Dolph était là, juste en bas. Et dans quelques heures, ils seraient mariés. Mais Hector... comment avait-elle pu ignorer qu'il était malade à ce point?

Elle ressentit alors une lassitude immense. Toute sa vie n'avait-elle été qu'une façade? Pourquoi n'avait-elle pas vu Hector tel qu'il était? Ses parents ne l'avaient jamais éclairée sur ce point. Par ailleurs, elle ne s'était pas doutée une seconde, en quittant Dolph dix ans plus tôt, qu'elle lui perçait le cœur d'une douleur aussi vive qu'un poignard. Pourquoi?

Elle avait passé des années à se construire une vie de haut niveau professionnel, organisant sa vie pour atteindre des buts qu'elle croyait justifiés... sans imaginer qu'ils puissent être égoïstes. Ainsi n'avait-elle pas discerné la lente dérive d'Hector ni la nécessité d'un traitement adapté à son cas. Pas un instant elle ne lui avait tendu la main.

Passant dans la salle de bains, elle prit une

148

douche et se lava les cheveux sans cesser de ruminer ses pensées.

Elle revêtit finalement sa robe couleur champagne et se regarda dans la glace. Moins attentive aux plis et aux revers soyeux qu'à ce que lui disait le reflet de son propre regard, la jeune femme passa un pacte avec elle-même.

Elle se jura de ne plus se masquer ses vérités les plus cachées et les plus personnelles ; de ne plus évacuer les problèmes qui l'auraient dérangée, comme elle l'avait fait pour Hector. Elle prendrait le temps d'examiner toute chose avec attention en pesant chaque fois le pour et le contre.

Surtout, elle aimerait Dolph de toute son âme, en se donnant elle-même comme on offre un bouquet de bonheur et de joie. Quant à Hector, il recevrait tous les soins, les conseils et la sécurité dont il avait besoin. Elle avait assez d'argent pour ça.

Dolph l'attendait en bas lorsqu'elle descendit de sa chambre.

— Je suis prêt à vous mener à l'autel, mademoiselle, murmura-t-il doucement.

Elle était plus belle que jamais malgré les traces d'ombre qui flottaient par instants dans ses yeux. Cette beauté était celle de l'amour, prenant sa source au plus profond de son âme pour venir ensuite l'irradier tout entière.

Devant sa lumière, Dolph se sentit assailli par ses doutes. Il se reprochait de n'avoir pas vu le côté réfléchi et justifié de son brusque départ de Nice. Lui-même n'avait fait que se recroqueviller sur sa douleur, comme le fait un animal blessé au cœur de sa tanière.

— Pourquoi cet air soucieux ? s'inquiéta Belinda. C'est à cause d'Hector ?

– Non, mon amour. Je suis furieux contre moi-même de ne pas t'avoir épousée dix ans plus tôt. Ça me rend fou.

Dolph ne pouvait plus se mentir. Il n'avait pas vraiment remué ciel et terre pour la retrouver. En tout cas, il aurait pu faire bien plus que de payer quelques détectives privés qui lui délivraient de loin en loin des rapports évasifs dont il se contentait un peu vite, comme d'une fatalité. Son orgueil l'avait dominé en le focalisant sur lui-même et sur ses états d'âme dans ce huis clos où il s'était enfermé tout seul.

Belinda lut sur son visage ces sentiments contradictoires qu'il n'essayait même plus de cacher.

– Tu n'es pas seul responsable de ce qui nous est arrivé, tu sais, dit-elle d'une voix douce.

– Peut-être pas. Mais je m'en veux terriblement de tout ce que je n'ai pas fait.

Une nuance d'amertume teintait ses paroles. La jeune femme comprit que Dolph regardait en lui-même et n'aimait pas trop le tableau.

– Je comprends ce que tu ressens, reprit-elle. J'aurais dû savoir pour Hector. Mais plus important encore, j'aurais dû savoir pour toi. Je te savais sensible et attentionné. Comment ai-je pu partir de Nice en étant persuadée que je nous faisais une grande faveur ? J'ai été complètement stupide.

– J'ai fait moi aussi un petit examen de conscience, avoua Dolph en lui prenant la main. C'est douloureux.

– Ça ne t'empêche pas d'avoir un charme ravageur dans cet habit, enchaîna Belinda d'un ton joyeux, ce qui le fit rougir. Tu n'es pas gêné que je te le dise, au moins ?

— Pas du tout. Tu me plais énormément. C'est juste que je n'ai pas l'habitude de me sentir l'âme aussi nue, mon amour. Dans mon métier, on fait des compliments comme on respire. Mais venant de toi, cela me bouleverse. Tu as un pouvoir sur moi, Belinda.

— Me voilà très puissante, alors? plaisanta-t-elle.

— Oh oui, très très puissante, répéta Dolph en lui baisant la paume. Je te promets qu'Hector aura tout ce qu'il faut et qu'il ne sera oublié à aucun moment.

— Oh, merci, merci, s'écria la jeune femme en sanglotant. C'était si important pour mes parents. Comment ne l'ai-je pas compris ou ai-je fait semblant de ne pas le comprendre?

Le spectacle de sa douleur émut Dolph jusqu'aux larmes.

— Nous nous faisons souvent mal à nous-mêmes, expliqua-t-il. J'ai caché mon angoisse et ma peine de t'avoir perdue. Je n'en ai parlé à personne. Par orgueil et par une fierté stupide.

Leurs larmes coulaient ensemble, se mélangeant sur leurs visages pressés l'un contre l'autre.

— Nous sommes en retard et il va falloir que je refasse tout mon maquillage, balbutia Belinda. Si ça continue, nous n'arriverons jamais à nous marier.

— Mais si. C'est comme si c'était fait, réagit Dolph en la poussant jusqu'à sa chambre pour l'asseoir devant sa coiffeuse.

Elle retoucha son maquillage d'une main tremblante, que Dolph prit dans la sienne avec un sourire.

— Je suis tout secoué moi aussi, tu sais. C'était une sacrée journée. Mais nous sommes ensemble maintenant et je suis drôlement impatient d'y aller.

— Moi aussi, répondit-elle d'un rire voilé mais sincère en quittant sa coiffeuse. Je suis prête.

Dolph lui prit le bras et sentit en elle une brève hésitation.

— Eh bien? fit-il. As-tu oublié quelque chose?

— Ce n'est pas ça. Je me demande simplement si je vais pouvoir tenir la comparaison avec les merveilleuses créatures qui ont jalonné ta vie.

— Tu es sans comparaison, Belinda, répondit-il en riant. Et je suis persuadé que tu t'en doutes. Je t'aime et je n'aime que toi.

En sortant de chez Dolph, ils trouvèrent un taxi stationné devant la maison. Le chauffeur qui les avait aidés un peu plus tôt sur les docks descendit de son véhicule pour leur faire signe.

— Vous m'avez payé plusieurs jours de boulot, expliqua-t-il.

— Merci d'avoir attendu, répondit Dolph. Vous êtes invité au mariage de toute façon.

— Encore une personne destinée à devenir un des tes amis dévoués, comme Shim Locke? ironisa Belinda en montant à l'arrière.

— J'aime bien Thomas Villas, déclara Dolph en déchiffrant le nom du chauffeur sur la plaque d'identification du tableau de bord. C'est un type courageux et déterminé.

— Merci, Wakefield, intervint le chauffeur.

— J'ai l'impression que tu estimes les qualités dont tu es abondamment pourvu toi-même, observa la jeune femme.

— Tu crois vraiment que j'ai ces qualités?

— Oui.

— C'est merveilleux. Figure-toi que mon vœu le plus cher est d'incarner toutes les vertus à tes yeux et que c'est bien la première fois que ça m'arrive, avoua-t-il.

Ils planaient sur un petit nuage quand le taxi stoppa devant l'église et il fallut que Thomas descende leur ouvrir la portière pour qu'ils s'aperçoivent qu'ils étaient arrivés.

— Vous voilà enfin, s'écria Peter en les accueillant. J'ai cru que le curé allait finir par s'en aller. J'ai appelé *Le Pilori*. Le retard d'horaire ne leur pose aucun problème.

— Je te la confie, Peter, fit Dolph.

— Compte sur moi. Tu peux y aller.

Dolph s'attarda à embrasser Belinda une fois, deux fois...

— Bon sang, dégage un peu, intervint Peter en poussant son ami à l'intérieur de l'église.

Tout le monde fut en place quelques minutes plus tard. Belinda prit alors le bras de Peter pour emprunter à son tour l'allée centrale de la nef et s'avancer vers son amour.

La plupart des formules traditionnelles de la cérémonie échappèrent à la jeune femme qui garda les yeux fixés sur l'homme de sa vie. Tous ses rêves se réalisaient en cet instant et les derniers regrets qu'elle conservait pour ses erreurs passées furent vite balayés par le serment qu'ils échangèrent.

— Vous pouvez embrasser la mariée, conclut le prêtre.

Dolph se tourna vers son épouse en souriant. Elle était maintenant son monde à lui. Il y aurait des moments difficiles, peut-être même douloureux, mais ils seraient environnés d'amour. Aussi longtemps qu'ils vivraient, ils vivraient tous deux ensemble et cela seul importait.

Il se pencha vers elle et l'embrassa.

Dans un concert de vœux de bonheur, les nouveaux mariés sortirent sur le parvis de l'église et s'engouffrèrent dans le taxi.

Nelson, le maître d'hôtel du *Pilori*, les attendait devant le club avec un air deux fois plus pincé que d'habitude.

— Tu crois qu'il est furieux à cause de notre retard? s'inquiéta Belinda.

— Damienne a appelé pour leur en expliquer les raisons. Ils pouvaient tout à fait refuser de nous recevoir.

— Quelqu'un t'a-t-il jamais refusé quelque chose, Dolph?

— Une ou deux fois, ironisa-t-il d'un ton mystérieux. Mais ça n'aurait eu d'importance que venant de toi.

— Voilà encore nos petites blessures passées, fit-elle d'un air triste. Tu crois que nous pourrons les oublier un jour?

— Si ces Messieurs Dames veulent bien me suivre, fit Nelson en se rappelant à leur présence d'une toux discrète.

Dolph prit néanmoins le temps de se pencher vers elle

— Nous saurons toujours régler les problèmes en temps voulu, dit-il en l'embrassant sur la joue. Et nous avons tout le temps d'en parler, non?

Belinda approuva d'un sourire. Bear s'avança vers eux.

— Voici la mariée et son preux chevalier. Que la fête commence! cria-t-il en enlevant prestement la jeune femme.

— Laisse-le faire, Dolph, murmura Peter à son ami en lui posant la main sur l'épaule. C'est moi qui le lui ai demandé pour pouvoir te dire un mot. Aucune nouvelle de son demi-frère jusqu'ici.

Il a pu accoster n'importe où au sud de New York. En tout cas, il doit être sauf car le coup de tempête a dévié plus au sud vers la Caroline du Nord.

— Laissons Shim Locke et ses hommes s'en occuper, décida Dolph. Ils le retrouveront tôt ou tard.

L'essentiel pour lui était de ne plus jamais voir ce voile d'ombre fugitive passer dans le regard bleu de Belinda. Elle était trop divine et gracile dans sa robe champagne.

— Je comprends que tu ne veuilles plus penser qu'à elle seule, mon vieux, observa Peter avec sa sagacité coutumière.

— Exact. C'était la même chose pour toi et Damienne, hein?

Dolph la rejoignit et lui prit la main. Belinda lui rendit un sourire de bonheur et leurs doigts s'enlacèrent.

Dans la mesure où Peter, Damienne, Bear, Christine, leurs enfants et les parents de Bear étaient les seuls invités, la soirée resta plutôt informelle et sans manières.

Quand le dîner fut servi, une groupe de musiciens vint s'installer au bout de la salle et commença à jouer des morceaux pouvant satisfaire tous les goûts : il y avait des ballades, des valses, du be-bop, du jazz et même du classique.

Avant même qu'on eût apporté le gâteau, Dolph entraîna Belinda sur la piste, aussitôt imité par d'autres couples.

— Pourriez-vous jouer une polka? demanda bientôt la jeune femme en s'approchant des musiciens. Mon mari et moi voudrions avoir cette danse.

Les notes entraînantes et vivaces de cette

musique folklorique s'élevèrent aussitôt dans la salle, faisant taper dans leurs mains les invités tous ensemble.

Dolph regarda sa femme revenir vers lui de son pas souple et ondoyant. Radieuse, elle semblait flotter sur la piste sans en toucher le sol. L'espace d'un instant, elle redevint la gamine de dix-neuf ans qu'il avait découverte sur la banquette arrière de sa Jaguar à Nice.

Cette image le transfigura. L'homme de pierre était déja loin, définitivement oublié.

— Une polka? s'étonna-t-il. Tu crois que je n'en suis pas capable?

— Ça reste à prouver, répondit-elle.

— D'accord. Je te parie une longue nuit sans sommeil que j'y arrive.

— C'était à moi de définir le gage! protesta la jeune femme.

Mais il l'avait déjà prise à la taille et ils s'élancèrent dans le rythme endiablé, rejoignant les autres danseurs en un concert de rires et de cris d'allégresse.

Quand la polka prit fin sur un coup de cymbales, Belinda s'appuya contre son cavalier pour reprendre son souffle.

— Ça m'a fait du bien. J'en avais besoin pour me changer les idées, haleta-t-elle à son oreille.

— Nous garderons quelques mauvais souvenirs de cette journée, Belinda, mais les meilleurs surnageront.

— Oui, grâce à toi. Et maintenant, si nous nous retrouvions seuls toi et moi?

— Aussitôt dit, aussitôt fait, répondit Dolph en faisant signe à Bear. Nous partons, vieux.

— Impossible, objecta Bear. Il faut que vous découpiez le gâteau d'abord. Attends, je vais

156

tâcher d'accélérer les choses, ajouta-t-il aussitôt en rencontrant le regard de son ami.

— Tu feras bien, approuva Dolph.

Ils coupèrent le gâteau puis le pâtissier les remplaça pour tailler soigneusement les parts. Dolph prit la main de Belinda, impatient de partir.

— Nos meilleurs vœux vous accompagnent, déclara Peter.

Le petit Patrick s'était approché subrepticement et plongea ses deux mains dans la crème de la pièce montée. Bear gémit de désespoir et se précipita pour endiguer la catastrophe.

Les nouveaux mariés éclatèrent de rire.

— A bientôt et bon appétit pour le dessert! s'écria Dolph en entraînant sa femme.

— Merci, répondirent en chœur Peter et Bear.

Ils s'aimèrent cette nuit-là de façon tendre et caressante en se murmurant des mots d'amour sans cesse renouvelés, émerveillés de cette nouvelle vie qui commençait pour eux et comblés par cette union que la mort seule pourrait défaire.

— Je t'aime, mon amour.

L'aveu chuchoté monta du lit sans qu'on pût savoir lequel des deux l'avait prononcé.

Neuf mois plus tard, Dolph et Belinda recevaient à dîner leurs amis Kenmore et Larraby.

— Personne n'a plus d'enfants neuf mois après le mariage, déclara Belinda en considérant d'un air malheureux son ventre bien arrondi. C'était chose courante du temps de nos grands-mères mais c'est complètement dépassé de nos jours!

Deux larmes roulèrent sur ses joues quand elle se tourna vers ses invités. Peter et Bear se jetèrent aussitôt à ses genoux pour la consoler tout en adressant des regards indignés à leurs épouses que la chose faisait rire de bon cœur.

– Dolph, viens par ici, appela Peter. Et toi, Damienne, arrête un peu de rire. Je ne supporte pas de la voir pleurer comme ça.

– Des mouchoirs, Lorette! réclama Bear à son tour. Christine, je ne comprends pas ce qui t'amuse. Tu vois bien qu'elle pourrait se rendre malade.

– Oui, c'est terrible, admit celle-ci en essuyant ses propres yeux embués par des larmes de rire.

– Elle est en train de pleurer? cria Dolph de la cuisine.

– Oui, firent Damienne et Christine d'une seule voix.

– Ça lui arrive tout le temps, commenta Dolph avec calme en revenant dans la salle à manger. Depuis le temps, vous devriez en avoir l'habitude. La moindre petite chose la transforme en fontaine. Elle a dû pleurer des seaux entiers depuis qu'elle est enceinte.

– Je suis... je suis désolée, balbutia Belinda.

Avec le large mouchoir qu'il avait apporté, Dolph essuya son visage tout barbouillé de larmes.

– N'empêche, insista Bear en regagnant son fauteuil d'un air bougon. Je ne peux toujours pas supporter qu'elle éclate en sanglots sans prévenir.

Dolph échangeait avec Damienne et Christine un regard de complicité amusée lorsque sa femme le tira doucement par la manche.

– Qu'y a-t-il, ma chérie? s'enquit-il.

– Je crois qu'il est temps de partir à l'hôpital, annonça-t-elle d'une petite voix.

Dolph pâlit affreusement à ces mots et l'émotion le fit tomber à genoux sur le sol. Belinda éclata de rire.

– Je t'ai bien eu, conclut la jeune femme en lui donnant une petite tape sur la tête.

Quelque temps plus tard à l'hôpital, Dolph se penchait sur le lit de Belinda avec la même pâleur sur le visage. Sa femme venait tout juste d'accoucher.

— Elle est magnifique, mon amour, murmura-t-il.

— Assure-toi que les infirmières s'en occupent comme il faut. J'ai bien vu qu'elles n'avaient d'yeux que pour toi, remarqua la jeune mère qui s'étira en bâillant. Je me sens bien... mince... et épuisée.

Elle lui effleura la joue du doigt.

— Je t'aime, père de ma fille, chuchota Belinda avant de sombrer d'un coup dans le sommeil sans même quitter son sourire bienheureux.

— Je t'aime moi aussi et pour toujours, répondit Dolph à voix basse. Tu as fondu la glace de mon cœur pour m'inonder de ta lumière.

Il lui déposa un baiser sur le front.

Derrière la porte de la chambre, un attroupement d'infirmières s'était formé. Elles se chahutaient et se bousculaient pour mieux apercevoir le fameux acteur de cinéma Dolph Wakefield.

LA COMPOSITION, L'IMPRESSION ET LE BROCHAGE DE CE LIVRE
ONT ÉTÉ EFFECTUÉS PAR LA SOCIÉTÉ NOUVELLE FIRMIN-DIDOT
MESNIL-SUR-L'ESTRÉE
POUR LE COMPTE DES PRESSES DE LA CITÉ
EN JUIN 1991

Imprimé en France
Dépôt légal : juillet 1991
N° d'impression : 16975